D0610998

CAROLINE

SUIVI DE

L'ÉTÉ DE L'ALOUETTE

CAROLINE

SUIVI DE

L'ÉTÉ DE L'ALOUETTE

DIANE McCLURE JONES

Traduit de l'anglais par
Jeanne Olivier

Les éditions
Héritage inc.

Données de catalogage avant publication (Canada)

Jones, McClure

   Caroline ; L'été de l'alouette

   (Coeur-à-coeur).
   Traduction de : Tori et The best summer.
   Pour adolescents.

   ISBN 2-7625-3181-0

   I. Titre. II. Titre : L'été de l'alouette.
III. Collection.

   PS3560.O55T6714 1990   j813'.54   C90-096020-5
   PZ23.J66Ca 1990

Tori / The Best Summer
Copyright © 1982 Diane McClure
Publié par Scholastic Book Services,
une division de Scholastic Inc.

Version française
© Les Éditions Héritage Inc. 1989
Tous droits réservés

Dépôts légaux : 3e trimestre 1989
Bibliothèque nationale du Québec
Bibliothèque nationale du Canada

ISBN : 2-7625-3181-0   Imprimé au Canada

Photocomposition : Deval Studiolitho Inc.

LES ÉDITIONS HÉRITAGE INC.
300, Arran, Saint-Lambert, Québec J4R 1K5
(514) 875-0327

CHAPITRE 1

Le grand miroir qui recouvrait le mur derrière les lavabos des filles, à la polyvalente, reflétait placidement la frimousse ébouriffée de Caroline. « Enfer et damnation, se plaignit-elle silencieusement à son image, j'ai encore oublié mon peigne. » Près d'elle, l'œil timide et les joues pâles, son amie Cynthia se lavait les mains.

Quelques secondes plus tard, la glace reflétait l'ovale parfait du visage de Jessica, dont le minois coquet lui avait valu la palme de plusieurs concours de beauté.

Arrivée près du comptoir, la belle jeune fille y installa ses livres avec un sans-gêne effronté, bousculant quelque peu la petite Cynthia et ne se souciant nullement du sac à main que cette dernière y avait déposé.

Catastrophe ! Avec fracas, le sac tomba par terre et s'ouvrit sous le choc ; tout son contenu s'éparpilla sur le plancher de céramique. Caroline s'empressa de ramasser les crayons, le cristal de quartz, la trousse de maquillage, le peigne, le porte-monnaie, les photos et les mille petites choses qu'une étudiante en Secondaire V traîne dans son fourre-tout. Les yeux pleins d'eau et les lèvres tremblantes, Cynthia regardait la scène en silence. Après avoir récupéré les « trésors » de sa copine, sans mot dire, Caroline lui rendit son sac. S'approchant ensuite du miroir, elle chercha de son regard de Scorpion celui de la belle Jessica, qu'une volute de fumée âcre et bleuâtre enveloppait quelque peu.

La plupart des étudiants se contentaient de griller leurs cigarettes interdites, assis sur le cabinet d'aisance, mais cela était typique de Jessica de défier le règlement au su et au vu des autres filles.

— Ma cigarette te dérange-t-elle?, demanda-t-elle en minaudant à Caroline.

— Pas le moins du monde. Heureusement pour toi, je vois que le tabagisme ne t'a pas empêchée de grandir… physiquement, du moins, persifla Caroline en toisant son interlocutrice de la tête aux pieds.

Puis, accompagnée de Cynthia, qui trottinait à sa suite, elle ouvrit la lourde porte et gagna le corridor, pendant que l'écho de sa voix railleuse se réverbérait sur les tuiles de la salle d'eau.

— Certains scorpions femelles portent leur dard sur la langue, murmura quelqu'un dans l'ombre.

Tout en marchant vers le local où se donnait le premier cours de la journée, Caroline fut soulagée de voir les nuages de la tristesse s'effacer du visage de Cynthia pour faire place à un sourire ensoleillé. L'orage de larmes qui avait menacé d'éclater plus tôt s'était estompé.

Il faut dire que Cynthia était toute menue. À seize ans, elle ne mesurait que 1 mètre 45 et son petit visage blême en forme de cœur, encadré d'une mince chevelure paille, rappelait celui des poupées de porcelaine d'antan.

De plus, elle souffrait d'une défectuosité spinale natale qui lui occasionnait des maux de dos constants et qui l'empêchait de se pencher avec aisance. C'est pourquoi des incidents comme celui qui s'était produit auparavant écorchaient la sensibilité de cet être fragile qui, pourtant, faisait de gros efforts pour maîtriser ses émotions.

La cloche résonna pour annoncer le début des cours. Chacun se précipita vers son local, provoquant ici et là quelques bousculades. Pour sa part, Caroline dut jouer du coude pour passer la porte que bloquaient deux garçons. Une fois assise, elle étendit ses livres sur son pupitre et se mit à farfouiller dans son cartable ; plusieurs papiers froissés s'en échappèrent.

Finalement, elle parvint à trouver son devoir. Elle le flanqua sur son pupitre, remit bruyamment les autres feuilles dans son cartable et s'appuya confortablement contre le dossier de sa chaise en poussant un profond soupir. Ouf !

Et là, tout à coup, elle entendit parler le silence. Saisie, elle leva les yeux et rencontra le regard de monsieur Lebrun.

De stature imposante, ce professeur arborait toujours une expression énigmatique. Articulant chaque mot, il dit :

— Eh bien, Caroline, es-tu prête ?

Affichant un petit sourire frondeur, elle répondit :

— Oui monsieur. Vous pouvez commencer, maintenant.

— Je te remercie, fit-il, pince-sans-rire.

Caroline riva son regard sur le visage de monsieur Lebrun, car, sous le sourire qu'elle affichait par bravade, se dissimulaient certaines appréhensions et certains doutes inavoués.

Monsieur Lebrun n'était pas une « poire ». Oh non ! Bien sûr, il tolérait parfois des moments de dissipation, mais hop ! tout à coup sans crier gare, il expulsait l'élève turbulent qui dérangeait la classe.

Le problème était que personne ne pouvait jauger son degré de patience ni prévoir à quel moment il en aurait assez.

Jusque-là, Caroline avait essayé en vain de détecter quelques signes annonciateurs d'une sanction imminente. Chez plusieurs autres professeurs, elle avait noté un plissement des yeux ou du front, un raidissement du cou, un pincement des lèvres ou un serrement des poings ; tous les signes indicateurs de ne pas pousser sa chance plus avant. Mais pour ce qui était de monsieur Lebrun, jamais il n'avait laissé entrevoir le moindre indice avant-coureur susceptible de lui éviter ses foudres, lorsqu'elle dépassait les bornes de l'impertinence. Pour l'instant, elle se concentra sur le tableau vert dont la surface semblait délavée par les rayons puissants d'un soleil blanc. Monsieur Lebrun était en train d'y tracer un schéma. Une odeur de craie et de cire à plancher flottait dans l'air. Celle des bananes et des pommes, que les étudiants apportaient dans leur sac à dos pour leur goûter, venait s'y mêler.

Caroline s'écrasa sur sa chaise en laissant ses bras ballants de chaque côté de son corps affalé. Bientôt, elle sentit au creux de sa main la texture d'un papier plié. À cet instant précis, monsieur Lebrun se retourna vers ses élèves. Caroline eut tout juste le temps de replier ses doigts sur le bout de parchemin compromettant.

Ouvrant de grands yeux attentifs — du moins elle l'espérait —, elle prit une expression de concentration intense pendant que, subrepticement, elle ramena sa main sur ses genoux afin de lire le message qu'elle avait reçu.

Monsieur Lebrun se dirigea vers l'autre côté de la salle. Aussitôt, Caroline déplia la missive et lut : « Même place aujourd'hui ? »

Lentement, elle se retourna sur sa chaise et jeta un coup d'œil furtif vers le coin opposé de la classe. Son regard rencontra celui d'Alexandre qui était assis près de la fenêtre. Elle lui fit un clin d'œil complice. Sa courte note signifiait : « Veux-tu me rejoindre à midi à la cafétéria et m'aider dans mon devoir d'algèbre ? » Elle acquiesça d'un clin d'œil.

Lorsqu'elle aidait le jeune homme à résoudre ses problèmes d'algèbre, Caroline avait parfois l'impression qu'il pouvait très bien se passer de ses services. Cette pensée lui réjouissait le cœur, car cela signifiait qu'il aimait sa présence. Les devoirs d'algèbre n'étaient sans doute qu'un prétexte pour être avec elle.

Pour sa part, la jeune fille le trouvait sympathique et désirait cette compagnie masculine. Elle avait noté que les garçons qui s'assoyaient à l'arrière de la classe se divisaient en deux groupes. Tout d'abord, il y avait les cancres, communément appelés les « poches ». Ces gars-là passaient douze ans à user leur fond de culotte sur un banc d'école et à regarder la couleur des plafonds. Point final. Si, par hasard, un professeur leur posait une question, sans honte et sans complexe ils répondaient toujours la même phrase : « J'sais pas ». Puis, il y avait les autres qui, sans être des « bollés », étaient assez brillants. Cependant, ils n'aimaient pas se faire interroger, car ils détestaient répondre aux questions à haute voix.

Caroline avait fait la connaissance de plusieurs jeu-

11

nes gens qui appartenaient à cette dernière catégorie ; toujours, ils étaient gentils, polis, respectueux, assez studieux, mais très timides.

Tel était Alexandre : charmant, poli et complaisant. De plus, Dame Nature l'avait favorisé d'un physique fort agréable. Grand de taille — et de cœur —, la démarche élégante à cause de ses longues jambes, il avait un visage aux traits réguliers dont l'ovale presque parfait rappelait la statue d'Éros, sculptée il y a fort longtemps par un Grec célèbre du nom de Praxitèle, avait-elle appris en histoire de l'art. Ses yeux, aussi bleus que la mer Égée, reflétaient la douceur et l'aménité, tandis que ses cheveux blonds et soyeux ondulaient au-dessus de son front. Caroline lui enviait son nez aquilin, elle qui se désolait de son propre appendice nasal qu'elle comparait volontiers à celui d'un pékinois. Elle aimait aussi son timide sourire, semblable à la lumière qui allume des franges d'argent aux nuages qu'elle embrasse. Elle ne lui connaissait pas de petite amie. S'il en avait eu une, elle l'aurait certainement su parce que Cynthia était au courant des histoires de cœur de tous les étudiants de l'école.

Il faut dire que plusieurs d'entre eux se connaissaient depuis le cours primaire, voire la maternelle. Cynthia elle-même sortait avec le même garçon depuis sa sixième année. On l'avait surnommé Cowboy à cause de son amour pour la musique « western » et de ses talents de guitariste.

« Comment fait-elle donc, pensait Caroline, pour sortir deux fois par semaine avec lui et avoir quand même des bonnes notes ? »

Cessant son monologue intérieur, Caroline reporta

son attention sur ce qui se passait dans la classe. Bien lui en prit.

— Guillaume, donne-moi la définition d'un alexandrin, disait monsieur Lebrun.

— Euh… euh… euh… bin… euh… c'est peut-être… euh… c'est quelque chose comme… euh… j'veux dire… euh… je l'sais pas, finit-il par admettre l'air piteux.

— Caroline, peux-tu répondre à cette question?

— Il l'sait pas, s'exlama-t-elle d'un ton narquois. Mais qu'est-ce qu'il a donc dans le crâne entre les deux oreilles! Une cervelle de moineau?

Pendant que Guillaume regardait le plancher à travers ses lunettes que balayait une longue mèche de cheveux raides, elle continua sur le ton supérieur de ceux-qui-savent :

— Un alexandrin est un vers de douze syllabes dont l'histoire, du XVIe au XIXe siècle, se confond presque avec celle de la poésie française. C'est simple comme bonjour.

Monsieur Lebrun se contenta de hocher la tête en signe d'acquiescement.

— On apprend ça au primaire, railla Caroline dans le but d'amuser la classe entière.

Ignorant les remarques ironiques de l'étudiante, monsieur Lebrun enchaîna flegmatiquement avec la question suivante. Il n'avait même pas daigné esquisser le moindre sourire pour accueillir ses commentaires. Était-il sur le point de la réprimander? Dépitée, elle se mordit les lèvres et décida illico de tenir sa langue et de ne plus causer de remous pendant les prochains cours.

L'heure du lunch trouva Caroline et Cynthia attablées à la cafétéria de l'école.

— Tu sais, dit Cynthia sur le ton de la confidence, Guillaume est vraiment stupide. Je veux dire que ça n'a rien à voir avec la paresse. Son esprit est réellement bouché.

— Ouais. Un vrai « nerd ».

Doucement, Cynthia reprit :

— Je ne le crois pas. Tu vois, ce n'est pas sa faute si la nature lui a donné moins d'intelligence. Et… euh… je pense que ce n'est pas bien de rire de lui s'il n'y peut rien.

Avant que Caroline ait pu lui répondre, Cowboy passa sa jambe par-desssus le dossier d'une chaise adjacente et se laissa choir sur le siège en face de Cynthia. Il était l'un de ces garçons dont la structure osseuse dominait la masse musculaire. On aurait dit, en fait, que les os lui sortaient de partout ; d'aucuns se demandaient parfois si sa peau ne percerait pas lorsque ses coudes ou ses genoux bougeaient. Ses longs doigts maigres, son nez en lame de couteau et son menton pointu étaient encore accentués par une bouche qui souriait de travers en découvrant une rangée de dents obliques. Son visage au teint pâle parsemé de taches de rousseur était couronné d'une tignasse orange qui lui aurait sûrement valu le surnom de « Poil de carotte », n'eût été de ses dons incontestés de musicien. En effet, il trimballait sa guitare bien-aimée à toutes les soirées, les assemblées d'école ou les fêtes du quartier dont il réjouissait l'ambiance. Ses doigts effilés semblaient alors danser sur les cordes de l'instrument qui chantait des notes roses ou bleues selon que le jeune homme parlait d'amour heureux ou malheureux.

Pour rester dans la peau de son personnage, Cowboy salua les filles d'une voix traînante, un tantinet nasillarde.

— Bien le bonjour, les p'tites dames.

Alexandre arriva à son tour, s'accrocha le pied dans une chaise mais réussit quand même à garder son équilibre et à rejoindre la table où son cabaret atterrit violemment. Sous le choc, les nouilles blanches sautèrent tout de go dans le Jell-O rouge qui en trembla de surprise.

— Eh bien, dit Caroline d'un ton à peine moqueur, j'espère que tu n'as pas l'intention de gagner ta vie comme serveur.

Alexandre se contenta de sourire, s'assit et s'appliqua à ouvrir le bec cartonné de son demi-litre de lait.

— As-tu terminé ton devoir?, s'enquit-elle aussitôt.

Pour une raison qu'elle ignorait, elle lui adressait toujours la parole en premier. Oh! Elle avait bien essayé, à plusieurs reprises, de se taire et d'attendre qu'Alexandre entame la conversation. Mais il n'ouvrait pas la bouche, si bien qu'après 30 secondes ou une minute de silence, n'y tenant plus, elle commençait à parler.

— Hum! Hum! Mais je ne comprends pas le dernier problème. Il plongea la main dans sa poche et en exhuma un papier fripé qu'il déplia et lissa avec la paume de sa main.

Caroline se pencha et approcha son visage de celui du garçon pour déchiffrer le problème.

— Hé, vous deux! Pas si près!, s'écria Cowboy. Le flirt est interdit dans la café.

— Comment aimerais-tu un chapeau en pelure de

banane sur ta crinière orange, hein?, lui lança Caroline, d'un ton mi-figue mi-raisin, sans même le regarder. Puis, s'adressant à Alexandre :

— Bon, attends! Tu as bien résolu le problème. Tu as suivi les bonnes étapes, mais la réponse est fausse. Umm. Ah! je vois. C'est bien la bonne formule, mais tu as fait une erreur de multiplication.

— Ah! Misère! Dire que j'ai perdu une demi-heure hier soir pour tenter de résoudre ce maudit problème.

— Tu aurais pu me téléphoner, dit Caroline sur un ton qu'elle voulait aussi détaché que possible. Elle ne voulait surtout pas qu'il sache qu'elle désirait son appel.

— Oh. Ouais. Bon, je ne voudrais pas te déranger, admit Alexandre. Je veux dire, euh... au cas où vous seriez en train de souper, ou bien, euh... je ne sais pas, moi.

— Tu peux facilement me rejoindre entre 20 heures et 22 heures, dit Caroline à voix basse en regardant fixement le papelard et en espérant ardemment que personne d'autre ne l'ait entendue. C'est l'heure à laquelle j'étudie.

Alexandre ne souffla mot et un doute surgit dans l'esprit de Caroline. L'avait-il entendue parmi les cris et le tapage des cabarets et de la vaisselle qui s'entre-choquaient? Sa phrase s'était-elle perdue dans le tohu-bohu de la cafétéria à cette heure? Elle posa sur lui un regard interrogateur. Il lui sourit. Mais cela ne la renseigna guère. En effet, chaque fois qu'elle le regardait, Alexandre lui adressait ce petit sourire rapide, timide et lumineux à la fois qui le caractérisait et qui éveillait, dans son cœur de jeune fille, un écho inconnu.

CHAPITRE 2

Le timbre sonore annonça la fin des cours. Le flot des élèves envahit les corridors formant de-ci de-là de petits îlots de quatre ou cinq personnes, autour desquels Caroline se fraya un passage jusqu'à son casier. Elle y flanqua ses livres et son sac, en retira de vieux vêtements tachés de peinture et repoussa du pied l'amoncellement de papiers, de livres et de foulards, qui menaçait de dégringoler sur le plancher, et claqua la porte de métal. Partout dans l'école, le même bruit métallique se répercutait comme un écho, à cette heure-là.

Plongeant dans le flot estudiantin qui dévalait vers la sortie, elle prit sa course vers l'auditorium.

— Ne courez pas dans les corridors, avisa la voix d'un professeur.

— Je m'entraîne pour le marathon, répliqua Caroline sans s'arrêter.

Elle arriva dans l'amphithéâtre à toute vitesse et se dépêcha d'escalader les quelques marches qui menaient à la scène. L'auditorium était une vaste salle avec un plancher en pente sur lequel des sièges, équipés chacun d'un pupitre pliant, étaient installés. On pouvait y tenir des assemblées, y visionner des films ou y voir un spectacle. Derrière la scène, deux pièces avaient été aménagées pour recevoir de l'équipement théâtral, des instruments de musique, des costumes, etc. Il y avait également deux loges pour les artistes en herbe.

Un mois plus tôt, un feu avait pris naissance dans une corbeille à papier de la loge des filles. Une cigarette mal éteinte y avait été jetée négligeamment et avait provoqué l'incendie. Heureusement, les dégâts avaient pu être limités. Mais les murs calcinés et l'odeur de la fumée avaient rendu le local inutilisable. Si bien que, maintenant, les filles et les garçons ne disposaient plus que d'une seule loge.

Comme Caroline arrivait sur les lieux, elle vit Cowboy et deux autres garçons qui tambourinaient sur la porte.

— Dépêchez-vous, là-dedans, hurlaient-ils.

Les coudes hauts, Caroline passa parmi eux et atteignit la porte fermée.

— Cynthia est déjà à l'intérieur. Est-ce que ça va vous prendre encore beaucoup de temps?, s'enquit Cowboy.

— Des siècles.

— Ah! voyons Caro, plaida l'un des garçons, je dois absolument essayer mon costume.

— Écoutez, les gars! Madame O. vous a dit de vous changer en arrière du rideau de fond.

— Ce n'est pas juste. Cette loge est à nous, protesta Cowboy.

Sans l'écouter, Caroline ouvrit la porte et pénétra dans la loge. Puis, elle dit en la refermant :

— À propos, as-tu peur qu'on aille vous espionner pendant que vous vous changez?

— Es-tu malade? s'écria le rouquin.

Mais la porte était déjà close.

À l'intérieur, Cynthia se plaça près d'une rangée de costumes suspendus pour que son amie puisse endosser son accoutrement de peintre. En fait, cette loge n'était guère plus grande qu'un garde-robe. En face des costumes alignés sur une tringle, une tablette étroite surmontée d'un miroir en constituaient le décor. Caroline enfila son vieux « jean » et revêtit un chandail ouaté qui avait certes connu de meilleurs jours.

— Ton loup-garou attend avec impatience que nous sortions d'ici. Sinon, il va sûrement enfoncer la porte, dit Caroline à Cynthia d'un ton blagueur. La frêle jeune fille éclata de rire.

— Cowboy est gêné, Caro. Il n'oserait pas.

— Mais il n'a pas l'air gêné quand il est avec toi, remarqua Caroline tout en finissant d'attacher ses vieilles espadrilles de tennis.

— Oh! c'est différent. Je suppose qu'il se sent à l'aise avec moi.

— Ah! C'est ça la technique pour attirer l'attention d'un garçon. Il faut l'amener à penser à toi comme à une vieille paire de savates..., ironisa Caroline.

Mais Cynthia connaissait bien son amie. Elle ne fut pas dupe de sa phrase, derrière laquelle elle pressentait un malaise caché.

— Tu as un problème avec Alexandre?

— Je le voudrais bien, répondit Caroline en soupirant. Mais comment peut-il me causer un problème... il ne me téléphone même pas.

La porte se mit à vibrer sous les coups de poings redoublés des garçons.

— Aïe! Dépêchez-vous un peu, ou nous allons arracher cette porte.

— Oké, viens-t'en Cynthia. Ils seraient capables de la casser.

Caroline tourna la poignée et ouvrit brusquement la porte vers l'intérieur. Avec un grand cri, Cowboy alla choir de tout son long dans la rangée de costumes.

— Comme entrée remarquée, c'est tout à fait réussi, mon vieux, le taquina Caroline, pendant qu'elle quittait la loge exiguë avec Cynthia.

— Si tu peux recommencer cet exploit digne de Pierre Richard, tu es sûr de voler la vedette le soir de la première, ajouta-t-elle en s'éloignant.

— Efface-toi! glapit Cowboy, occupé à se dépêtrer des costumes.

Les croquis sur toile qui devaient servir de décor étaient alignés sur le mur qui longeait le fond de la scène.

En avant d'eux, un grand drap, sur lequel étaient placés des pinceaux et des pots de peinture, avait été étendu par Émilie, qui devait superviser l'équipe technique chargée de peindre les décors. Caroline se mit en frais d'étudier les toiles. Émilie y avait esquissé à la craie le contour des dessins à peindre, et avait indiqué quelles couleurs les « artistes » devaient utiliser.

La première toile représentait une fenêtre enchâssée dans un mur. La fenêtre devait être peinte en blanc, et le mur, en jaune. Le tout faisait partie du décor intérieur d'un salon, où se jouerait une partie de la pièce.

Les deux autres toiles représentaient des arbres, des arbustes, une clôture de piquets blancs et un ciel azuré.

— Aimerais-tu mieux être une décoratrice intérieure ou Dieu?, dit Caroline à Cynthia.

— Tu me fais penser aux questions qu'on trouve sur les formulaires d'orientation, répondit la petite blonde.

— Ah non!, intervint Caroline. Leurs questions sont

toujours ambiguës. Le choix n'est jamais si clair.

— Ummm. Sans doute que non. Eh bien, j'opte pour la fenêtre.

— Oké. Je vais personnifier Dieu et peindre les arbres, agréa Caroline.

Elle trempa son pinceau dans la peinture et commença d'habiller de vert les feuilles dessinées à la craie.

Au début de l'année, elle avait choisi l'option théâtre parce qu'elle aimait jouer la comédie ; cependant, elle s'aperçut qu'elle avait beaucoup de plaisir à peindre ainsi des décors. Quoique son rôle dans la pièce fut assez important, elle tenait à donner un coup de main — et de pinceau — à l'équipe d'entretien chaque après-midi où elle n'avait pas à répéter son rôle.

Comme une larme verte, une longue « coulisse » de peinture se mit à dégouliner de haut en bas de la toile. Caroline s'approcha de l'ébauche pour essuyer la dégoulinade. Ce faisant, elle tacha son chandail et se frôla la tête contre la peinture fraîche.

— Attention ! lui cria Cynthia.

Mais il était trop tard.

— Merde alors, lança Caroline en frottant son crâne verdi.

Une voix tranchante s'éleva du fond de la salle :

— Où est ta guenille, Caroline ? Combien de fois t'ai-je dit de toujours avoir une guenille sous la main quand tu peins ?

Madame Odette, directrice de la troupe, descendit l'allée en brandissant une liasse de manuscrits. De taille élancée, elle avait une belle chevelure blonde qui flottait en ondulant sur ses épaules et des « pommettes » qui auraient fait l'envie de bien des mannequins.

— Pourquoi viens-tu peindre aujourd'hui, Caro?

— Parce que je suis comme une théière : pleine de bonté. Tout en parlant, elle avait attrapé la guenille de Cynthia et s'évertuait à essuyer ses dégâts.

— Je ne suis peut-être pas une bonne artiste, madame O., mais je suis une bonne personne. Autrement, pourquoi viendrais-je ici tous les jours me barbouiller ainsi, sachant que mon talent de peintre laisse plutôt à désirer?

Madame Odette gratifia Caroline d'un grand sourire.

— Ce n'est pas ce que je veux dire. Caro, tu dois répéter ton numéro musical avec Cowboy, cet après-midi.

— Comment? Aujourd'hui? Mais, mais, je croyais que c'était demain...

— Voyons mes enfants. Combien de fois dois-je vous rappeler de vérifier le tableau des répétitions, dit-elle d'une voix claire, en articulant chaque mot.

— J'ai pourtant bien vérifié, affirma Caroline. Cowboy et moi sommes censés répéter notre numéro mercredi.

— Exactement.

— Mais, madame O., nous sommes mardi.

La directrice aux cheveux couleur de miel ouvrit de grands yeux étonnés.

— Mardi? C'est aujourd'hui mardi?

— Eh oui. Jusqu'à minuit, fit Caroline d'un ton amusé.

— Mais j'ai donné tous les cours que j'avais planifiés pour mercredi aujourd'hui, se lamenta madame O.

— Ce n'est pas grave. Demain, vous n'aurez qu'à donner ceux d'aujourd'hui.

— Je n'ai pas le choix, il me semble. Mais cela ne règle pas le problème des répétitions. Demain, de toute façon, je ne serai pas ici après les heures de cours. Alors, je dois vous faire répéter aujourd'hui, toi et Cowboy. Au fait, est-il ici?

Caroline prit sa course et alla frapper à la porte de la loge.

— Hé! Cowboy! Amène-toi avec ta guitare.

Pendant que les autres artistes continuaient à peindre, les deux protagonistes exécutèrent leur numéro.

Cowboy chanta, en s'accompagnant à la guitare, une chanson du spectacle dans laquelle il était question de magasineurs qui entrent par une porte tournante. Chaque couplet avait trait à une personne différente. Le premier décrivait une dame accompagnée de plusieurs enfants en bas âge. Le second, un monsieur qui avait à la main une énorme valise. Dans le troisième, il s'agissait d'une dame huppée qui se retrouvait coincée dans la même section vitrée qu'un homme avec un cigare malodorant, et ainsi de suite.

Pendant que Cowboy s'exécutait à la guitare, Caroline mimait chacun des personnages en tournant autour du garçon, qui symbolisait le pivot de la porte tournante. Plusieurs fois, de grands éclats de rire accueillirent ses performances. Ils provenaient des autres étudiants qui travaillaient sur l'éclairage ou sur les décors. Cela la rassura quant à ses talents de mime comique.

— Les expressions de ton visage sont excellentes, Caro, dit madame O. Mais tu dois donner davantage l'impression d'être dans une cage de verre. Très bien. Donne un coup de hanche, accélère le mouvement quand tu te tournes pour donner l'image d'une personne qui entre ou sort de la porte. Essaie encore. Bon. Parfait.

Madame O., debout dans l'allée, lui indiquait les mouvements appropriés. Caroline observait attentivement, puis les reprenait et les raffinait en ajoutant quelques touches personnelles. Une fois la pratique terminée, Caroline regarda sa montre et fut surprise de constater qu'elle travaillait depuis une bonne heure. Pourtant, elle avait cru être sur les planches depuis quelques minutes seulement.

— Bon. Ça commence à prendre corps, dit madame O. Nous reprendrons ce numéro la semaine prochaine. Jusque-là, Cowboy, pratique-toi à ralentir le tempo entre chaque couplet pour laisser à Caroline le temps de te contourner et de passer d'un personnage à l'autre. Toi, Caroline, pratique tes mimiques en face d'un miroir.

— D'accord, fit la jeune fille.

— J'aime bien ta mèche verte, Caro, mais je suppose que tu ne voudras pas ressembler à une extra-terrestre, ricana madame O. en s'éloignant.

Caroline porta brusquement la main à ses cheveux et geignit :

— Sapristi ! J'avais oublié. Comment vais-je faire pour enlever ça ?

— Tu n'as qu'à te raser la tête comme les anciens Égyptiens, suggéra Cowboy en ricanant.

Caroline poussa un cri de protestation.

Redressant la tête, Cynthia observa calmement :

— Cette peinture est soluble dans l'eau. Un bon shampooing, et il n'y paraîtra plus.

Ce soir-là, après un shampooing énergique, Caroline s'installa devant son miroir pour pratiquer le mimodrame. Mouvements d'épaule et de hanche, position des bras, du cou, de la tête, alouette!... Elle définissait en imagination l'espace restreint de la porte tournante, tournait abruptement et fredonnait la chanson de Cowboy pour garder la cadence.

« La vie est une porte tournante qui sait chanter dans la tourmente. »

Un mouvement de tête rapide fit tomber sur son visage la serviette qu'elle avait enroulée sur ses cheveux mouillés. Elle poussa un petit cri, la remit en place et reprit la pose devant la glace. « La vie est... »

Dring, fit le téléphone.

— Je réponds, claironna Caroline qui se hâta vers l'appareil.

— Allô, est-ce que... Caroline?

C'était Alexandre. Elle reconnut son timbre de voix, hésita un peu, ne sachant pas si elle devait prononcer son nom. Penserait-il qu'elle attendait son appel? Pire encore, il croirait peut-être qu'aucun autre garçon ne lui téléphonait et que c'était pour cette raison qu'elle reconnaissait sa voix.

— Caroline à l'appareil, finit-elle par dire d'un ton neutre.

— Je le savais. Tu sais, si tu es occupée, je peux te rappeler plus tard.

Ainsi, il présumait qu'elle avait reconnu sa voix. Voyons, que ferait Cynthia en pareilles circonstances? Elle opta pour un ton détaché et dit :

— Qui est-ce?

— C'est moi, Alexandre.

Sa voix ne trahissait ni sa pensée, ni ses sentiments. Il ne semblait pas surpris de sa question, comme s'il était certain qu'elle connaissait la réponse.

— Ah! Salut Alexandre. Ton devoir de maths te donne-t-il du fil à retordre?

— Oui. Mais si tu es occupée…

— Hun — hun. Attends une minute, je vais chercher mon livre. Caroline courut à sa chambre et en ramena son livre de maths et son devoir. Mais pourquoi diable semblait-elle perdre l'usage de la parole avec Alexandre, elle qui, d'habitude, avait la langue bien pendue? Quels mots d'esprit pourrait-elle bien lui lancer pour lui faire croire qu'elle entretenait souvent des conversations téléphoniques avec d'autres garçons? Savait-il qu'elle n'avait jamais eu de «petit ami»? Par contre, elle n'ignorait pas qu'Alexandre ne sortait avec personne en particulier. Cynthia l'avait rassurée sur ce point. Les garçons s'interrogeaient-ils entre eux au sujet des filles? se demandait Caroline en reprenant l'appareil téléphonique.

— Oké, dit-elle simplement, page 87, n'est-ce pas?

— Han-han. Troisième problème. Je n'y comprends rien. Pour moi, c'est du vrai chinois.

Appuyée sur l'encadrement de la porte, Caroline replia son genou vers le haut et l'utilisa comme tablette improvisée pour y ouvrir son cahier. Elle décrivit à Alexandre chacune des étapes de la marche à suivre pour résoudre le problème.

— Est-ce bien comme ça que tu l'as fait?, s'enquit-elle.

— Non. Je n'ai rien fait du tout. Je ne savais pas par quel bout commencer.

— Bon. Comprends-tu, maintenant?

— Euh… je pense que oui.

Un long silence s'installa entre eux. Caroline essaya vainement de trouver des mots pour le briser, mais n'y parvint pas.

— Euh… merci. Je ne t'ai pas dérangée, j'espère, articula enfin Alexandre.

— Non, non. Je venais juste de finir d'enlever la peinture de mes cheveux.

— Hein? De la peinture dans tes cheveux? Comment ça?

— En peignant les décors pour le spectacle à l'école.

— Oh!

Caroline referma son cahier et laissa glisser sa colonne vertébrale le long du mur jusqu'à ce qu'elle se retrouve assise par terre.

— As-tu déjà travaillé à la préparation d'une pièce de théâtre?, demanda-t-elle de but en blanc à Alexandre.

— Le théâtre? Ah non! J'ai horreur de ça. C'est comme les discours. Et puis, monter sur une scène, ça ne m'intéresse pas du tout.

— Mais tu n'as pas besoin d'être un acteur. Tu peux travailler à la régie.

— L'idée ne m'en est jamais venue, avoua Alexandre.

— C'est assez amusant. En plus de peindre les décors, il faut en solidifier les châssis, vérifier les tringles et le système de poulies, mettre l'éclairage au point…

— Des poulies? Je sais comment ça fonctionne, ça.

— Ah oui? Eh bien, tu es deux fois plus doué que l'équipe de la régie au complet.

— Cowboy fait-il aussi partie de cette équipe?

— Pas de danger! Une fois, on a essayé de lui montrer comment construire un châssis. Tu aurais dû voir ça. Il n'arrêtait pas de se cogner sur les doigts au lieu de taper sur les clous. Puis, il s'est mis à gémir que nous avions endommagé ses précieuses mains et peut-être brisé sa carrière à jamais.

— C'est vrai qu'il est bon guitariste.

— C'est certain, admit Caroline. Écoute, euh… pourquoi ne viens-tu pas nous donner un coup de pouce, demain? Tu sais, nous en avons grand besoin. Je veux dire… euh… naturellement, si tu as le temps et si ça te tente.

Incrédules, les oreilles de Caroline écoutaient sa bouche prononcer des paroles que jamais elle n'aurait cru pouvoir adresser à Alexandre. Pour une raison mystérieuse, son cœur se mit à battre plus vite et, dans sa poitrine, on aurait dit qu'une petite main invisible l'avait saisi et l'étreignait. Elle eut l'impression, tout à coup, que l'air lui manquait.

Pire encore, Alexandre était devenu muet à l'autre bout du fil. Au cours du silence qui suivit, mille pensées défilèrent dans la tête de Caroline, pendant qu'elle regardait distraitement ses jambes, revêtues d'un jean bleu et relevées sans façon sur le petit mur en face du téléphone. Avait-elle trop parlé? Avait-elle montré trop d'insistance en l'invitant à se joindre à l'équipe de la régie? Bien sûr, elle aurait pu demander à d'autres garçons; en fait, c'était dans ses habitudes de recruter d'autres étudiants pour participer aux activités parascolaires. Mais, elle n'aurait pu dire pourquoi, avec Alexandre, c'était différent.

D'un ton étudié, qu'elle voulait aussi léger que la brise du matin, pour masquer son émoi et ses pensées en désordre, elle dit :

— Euh… tu sais, c'était seulement une idée. Probablement que ça ne t'intéresse pas.

Deux longues secondes s'écoulèrent avant qu'il dise finalement :

— Je ne sais pas trop… Bien, je pense que oui. Je suis assez habile avec un marteau.

— Quiconque sait se servir d'un marteau est le bienvenu, fit Caroline d'une voix enthousiaste. Actuellement, nous sommes un ramassis d'incompétents en la matière. Tu sais, si l'on me laisse peindre, moi qui ai échoué en arts plastiques à la maternelle, c'est qu'on est plus que mal pris. On est désespéré !

— Je suis doué pour l'art, commenta Alexandre. Bien plus que pour les maths.

— Super ! Tu es engagé !

Alexandre rit doucement. Un rire qui ressemblait à son sourire, confiant et timide à la fois… et qui évoqua chez la jeune fille l'image de son visage masculin encadré de pâles cheveux ondulés.

— À demain, fit-il. Et il raccrocha.

Rêveuse, Caroline resta assise à même le sol, en tenant le récepteur de l'appareil qui, maintenant, bourdonnait comme les guêpes en été. Comme si elle voulait entendre plus longtemps le son velouté de sa voix et l'enregistrer sur une disquette de sa mémoire. Qu'avait-il dit, au juste ? Ah oui. Qu'il aimait les arts plastiques, qu'il savait utiliser un marteau et qu'il connaissait le fonctionnement des poulies. Elle se rappela qu'il avait été question de Cowboy et aussi de ses commentaires à propos du théâtre.

Pensait-il qu'elle était spéciale? Probablement que non. Il ne pensait probablement à elle qu'en termes de « bollée » en maths. « Yak! Beurk! Pouah! » marmonna Caroline en enlevant le fil du téléphone enroulé autour d'elle, tel un mince serpent noir. « Les garçons, c'est l'enfer! »

CHAPITRE 3

Assises, jambes croisées, sur le plancher poussiéreux de la scène de l'auditorium, derrière le rideau à moitié ouvert, Caroline et Cynthia devisaient. D'où elles étaient, elles apercevaient l'avant-scène, où Cowboy répétait avec Roxanne, une brunette élancée au visage poupin, à qui le premier rôle avait été confié.

— Elle est super belle, murmura Cynthia, en parlant de la prima dona de leur comédie musicale.

— Ouais ; spécialement si on aime les natures généreuses au niveau des pectoraux, persifla Caroline.

Cynthia eut d'abord un rire étouffé qui se transforma bientôt en petits gloussements.

L'écho de leur bavardage se répercuta sans doute jusqu'à l'avant-scène, car Roxanne se retourna et leur lança un regard foudroyant de déesse en colère. L'assistante-directrice, frappant son crayon sur le dossier d'une chaise, réclama le silence.

Se penchant vers Caroline, Cynthia lui murmura à l'oreille :

— Hé Caro! Regarde qui vient d'arriver.

Les yeux mi-clos, afin de percer la pénombre de la salle, Caroline aperçut Alexandre qui se glissait sans bruit dans la dernière rangée. Il ne la vit pas, car il semblait n'avoir d'yeux que pour les deux acteurs. Cynthia donna un coup de coude à son amie, et fit un « hum-hum » significatif.

— Bof! dit Caroline en haussant les épaules. Y a rien là. Ce n'est pas pour moi qu'il est ici. C'est pour nous aider.

— Ah oui? Pourquoi alors n'est-il pas venu quand nous avons annoncé partout que nous avions besoin de volontaires pour s'occuper de la régie?

— Shshshshsh, fit Caroline en guise de réponse sans regarder Cynthia, car son regard fouillait l'ombre et épiait Alexandre. S'en irait-il? Resterait-il?

Les deux apprentis-comédiens ayant terminé leur répétition, Cynthia alluma tous les projecteurs et Caroline ouvrit complètement le lourd rideau pourpre. La démarche altière, Roxanne descendit les trois marches du plateau, emprunta une allée et disparut pendant que Simon, alias Cowboy, ramassait un balai et demeurait en scène. Il commença à en donner de grands coups sur le plancher, soulevant la poussière et la sciure de bois qui s'y étaient déposées.

— Attention aux pots de peinture, l'avertit Cynthia.

— Arrête de t'en faire, répondit le rouquin. Je pense que je peux faire quelque chose comme il faut, de temps en temps. Cynthia eut un petit rire.

— Peut-être une ou deux, le taquina-t-elle.

— Oui, quoi? interrogea Caroline d'un ton moqueur. Pour toute réponse, Cynthia lui tira la langue.

Pendant ce temps, Alexandre s'était approché du plateau. Il était maintenant au pied du court escalier. Mains dans les poches, cheveux dorés par les projecteurs, front barré d'un pli de réflexion, il semblait s'interroger.

— Eh bien, tu viens nous aider oui ou non?

Les mots étaient sortis de sa bouche comme une flèche, sans qu'elle ait pu les retenir. Ils en furent tous deux étonnés. Levant les yeux, Alexandre demanda :

— Que puis-je faire ?

Caroline regarda à la ronde et vit Cynthia qui, sur le bout des pieds, essayait de peindre la partie supérieure d'une toile.

— Tu pourrais peut-être commencer par aller chercher l'échelle et ensuite peindre le haut de la toile de Cynthia.

— Ce n'est pas nécessaire, intervint cette dernière. Il va tacher ses vêtements. Et puis, je peux grimper à l'échelle.

— Non mademoiselle ! Il n'en est pas question, dit Caroline d'un ton si impérieux qu'Alexandre leva les sourcils d'un air étonné. Ayant lâché impulsivement sa phrase, elle ne savait plus quoi dire ; elle n'avait certes pas l'intention d'expliquer au jeune homme que Cynthia ne pouvait se permettre une telle acrobatie à cause de sa faiblesse dorsale.

À son grand soulagement, Cynthia intervint en souriant :

— Il faut d'abord que ça sèche pendant un bout de temps. Demain, tu pourras continuer si tu veux. Tu pourras aussi t'apporter des vêtements appropriés. Aujourd'hui, pourquoi ne pas aider Caroline ? Elle est censée assembler cette imitation de foyer en bois.

— C'est ça, les filles, faites donc un encan, grinça Cowboy en passant avec un tas de costumes sur les bras.

Caroline crut voir le sang affluer aux joues d'Alexandre.

Elle n'en était pas certaine, cependant, à cause du feu

33

puissant des projecteurs. Elle se hâta donc d'ajouter :

— Peut-être aimerais-tu mieux voir d'abord ce qu'on fait?

Que n'aurait-elle pas donné, en cet instant, pour être capable de lire dans les pensées du garçon. Mais hélas, on n'enseignait pas la télépathie, à l'école.

Alexandre retroussa ses manches et monta sur le plateau.

— Tu te rappelles ce que je t'ai dit? Je suis un artiste du marteau. Caroline le guida jusque dans un coin de la scène, où elle avait tenté, tant bien que mal, de clouer le faux foyer pour le décor du salon. Dès qu'Alexandre y posa la main pour en éprouver la solidité, tout s'écroula.

— Je vois en effet, dit-il solennellement, que vous avez besoin d'aide.

Caroline lui donna un léger coup de poing à l'épaule.

— Non?

— Non! Tu es supposé dire que je suis une experte en construction, mais que ça te fait plaisir de me venir en aide même si je n'en ai pas besoin.

Alexandre sourit, mais ne répondit pas. Était-il fâché du geste spontané qu'elle avait posé à son endroit? C'était pourtant sans arrière-pensée. Souvent, Cynthia, Cowboy et elle s'étaient échangé, à la blague, de tels coups de poing légers... C'était tout naturel, mais maintenant, elle était mal à l'aise, car elle craignait de s'être montrée rude et effrontée.

Tout autour d'eux, le plateau bourdonnait d'activités. On transportait des planches, des toiles, des outils... On ajustait les tringles et les supports... On construisait un escalier pour le décor...

Après qu'Alexandre eut construit le faux foyer, tout le monde l'applaudit. C'était solide et bien fait. À la fin de l'après-midi, il avait été accepté avec enthousiasme par l'équipe de la régie.

— Maintenant que nous connaissons tes talents, tu seras appelé à participer à toutes les productions, lui dit Caroline pendant qu'ils remisaient leurs outils dans une pièce en arrière du plateau.

— Ça me va, fit-il.

Le visage de Cowboy apparut dans l'entrebâillement de la porte.

— Vous voulez que je vous ramène?, offrit-il.

— Oké, j'arrive dans une seconde, dit Caroline.

— Et toi, Alex? Je t'emmène aussi?

— Pas besoin. Je peux marcher.

— Naturellement, que tu peux marcher. Nous pouvons tous marcher. Mais Cowboy a sa voiture. Alors, pourquoi ne pas en profiter?, protesta Caroline.

— J'ai promis aux filles de les emmener chez McDonald's. Ne me laisse pas seul avec elles, plaida Cowboy sur le ton braillard d'un gars en mauvaise posture.

Caroline s'apprêtait à le sermonner, mais s'arrêta net en songeant que peut-être Cynthia avait suggéré à Cowboy d'inviter Alexandre. Elle se concentra donc sur le pinceau qu'elle achevait de nettoyer en espérant qu'Alexandre ne devine pas ses sentiments…

— Oké, je vais y aller, décida-t-il.

Dehors, un soleil pâle laissait filtrer des rayons de lumière évanescente à travers le voile gris des nuages d'hiver. Caroline mit son foulard et enfila son parka mauve. Puis les quatre adolescents se dirigèrent vers l'automobile de Cowboy.

Pendant que ce dernier fouillait dans ses poches pour en extraire les clés de la bagnole, les deux filles sautaient sur place pour se réchauffer tandis qu'Alexandre se frottait les mains l'une contre l'autre.

— Penses-tu qu'il va neiger ce soir?, s'enquit la mignonne Cynthia.

— Ben non. Ce n'est pas si froid que ça, prédit Cowboy en humant l'air frisquet.

Il ouvrit la portière et bascula le siège avant pour laisser Caroline et Alexandre s'asseoir en arrière. La jeune fille se blottit dans un coin et s'enveloppa les doigts avec les bouts frangés de son écharpe de laine. Alexandre s'installa à côté d'elle ; ses longues jambes recroquevillées remplissaient tout l'espace entre les banquettes avant et arrière du véhicule.

— As-tu assez d'espace?, lui demanda Caroline.

— Oui, oui. Je suis bien.

— Tu as l'air d'un « pretzel », rétorqua-t-elle, puis enchaîna :

— Cowboy, on gèle. Ta chaufferette fonctionne-t-elle au moins?

Le jeune homme démarra et déclama avec un accent « western » :

— Ne vous inquiétez pas, ma p'tite dame. Je l'ai réparée moi-même, personnellement en personne. Bientôt, vous vous croirez en Arizona, dans le désert de la mort, tellement vous aurez chaud.

Ils quittèrent le stationnement, perdirent de vue l'édifice au toit plat qui leur servait d'école et arrivèrent bientôt au restaurant. C'était une bâtisse blanche presque neuve dont le toit était peint en rouge.

On commanda des hamburgers avec des frites et du

Coca-Cola. Chacun était affamé et fit honneur à la nourriture. Après que leur fringale se fut quelque peu apaisée, Alexandre s'informa du rôle que devait tenir Caroline dans le spectacle.

— Oh! Ce n'est pas grand-chose. Un court mimodrame où Cowboy et moi interprétons une chanson.

— C'est la meilleure partie du spectacle, dit Cynthia avec enthousiasme.

— Crois-moi, mon jeune, reprit Cowboy de sa voix « western », t'auras jamais rien vu de pareil. T'en croiras pas tes yeux ni tes oreilles.

— Tu vas adorer ça, renchérit Cynthia.

— J'ai bien aimé la scène que j'ai vue aujourd'hui, fit Alexandre.

Cowboy émit un sifflement entre ses dents :

— Roxanne, tu veux dire. Peau de chien, mon ami, y'a pas d'erreur, c'est un beau pétard.

— Humph! si les « Barbie » t'excitent, grinça Caroline, d'un ton sarcastique accompagné d'une moue méprisante.

Cynthia et Cowboy accueillirent la remarque railleuse de Caroline par un éclat de rire. Alexandre, par contre, fronça les sourcils. L'expression indéfinissable qui se peignit sur son visage rendit Caroline mal à l'aise. Avait-elle encore fait une gaffe? On ne sait jamais. S'il fallait qu'Alexandre et Roxanne soient amis! Penserait-il qu'elle avait eu l'intention d'insulter la ravissante jeune fille, dont la beauté se comparaît avantageusement à celle des étoiles d'Hollywood?

Plus prosaïquement, peut-être ignorait-il que les « Barbie » n'étaient que des poupées de plastique, dont le visage peint était aussi inexpressif que ceux des man-

nequins de plâtre exposés dans les vitrines ; des carica-
tures grotesques de l'image féminine.

Ne pouvant deviner les sentiments d'Alexandre, elle
chercha un moyen d'aiguiller la conversation vers un
autre sujet. En face d'elle, Cowboy léchait le sel sur ses
doigts.

— Quelles manières affreuses ! Mon vieux, on n'est
pas près d'aller au Ritz Carlton avec toi, fit-elle d'un
ton réprobateur.

— Aimerais-tu mieux que je m'essuie les doigts sur
ta manche ?, dit le garçon en faisant mine de joindre le
geste à la parole.

Caroline eut un mouvement de recul, saisit quelques
serviettes de papier et les lança vers Cowboy. Mais plusieurs n'atteignirent pas la cible et tombèrent sur le car-
relage. Sans mot dire, Alexandre les ramassa et les
empila nettement sur la table, frôlant au passage la
main de Caroline. L'avait-il fait exprès ? se
demanda-t-elle.

— Bon allons-nous-en. Je vais être en retard pour
souper.

— Quoi, après t'être empiffré de « fast-food » ? Quel
glouton !

— Une autre remarque et je te tords le cou, menaça
Cowboy. De plus, tu rentreras chez toi à pied.

— Oké. Je retire mes paroles, dit Caroline en riant.
Tu es mon idole, ô toi, beauté suprême…

Arrivés devant la résidence de Caroline, Cynthia
descendit pour laisser sortir sa copine du véhicule à
deux portes, puis se rassit. Une fois dehors, Caroline
salua le trio :

— Merci de m'avoir ramenée, cher « idole ». À

demain, Cynthia. Toi aussi Alex.

Cynthia et Cowboy lui avaient-ils répondu? Peut-être que oui, peut-être que non. La seule image qui était restée imprimée sur l'écran de sa mémoire était le sourire d'Alexandre et son regard d'azur où dansait la lumière du crépuscule. En arrivant près du balcon, elle entendait encore les mots qu'il avait prononcés doucement: « Merci, Caroline. À demain. »

Elle escalada les quelques marches qui la séparaient du seuil de la porte d'entrée, se retourna et contempla la nuit qui étendait sans bruit son voile indigo sur la voûte des cieux. L'air froid lui fouettait le visage; elle le huma, comme un chevreuil qui renifle le vent. Elle aimait cette odeur, pure et vivifiante, faite de neige, de glace, de terre gelée et de feuilles mortes enfouies sous les haies. Debout au cœur de l'hiver, qui enveloppait tout de sa blanche présence, elle sentit s'allumer, au creux de sa poitrine, comme une flamme chaude. Les mots d'Alexandre résonnaient encore à ses oreilles et la berçaient, comme une chanson douce. Cela était certainement folie. Mais une si délicieuse folie. Non, elle ne s'imaginait pas être amoureuse. Mais pourquoi le visage d'Alexandre semblait-il rayonner ainsi quand il lui souriait? Ce sourire mystérieux l'accompagnait ce soir. Il était comme suspendu et figé dans l'air froid... un peu à la façon de celui que voit Alice au pays des merveilles.

Tout à coup, la porte s'ouvrit derrière elle et la voix de son père la tira de sa rêverie.

— Il m'a semblé entendre une auto tout à l'heure. Qu'est-ce que tu fais là? Entre, le souper est prêt.

Caroline le suivit dans le vestibule.

— Désolée d'être en retard, dit-elle.

— Hum! Il me semble que tu passes beaucoup de temps aux répétitions. Es-tu certaine, ma petite fille, que tes travaux scolaires n'en souffrent pas?

Tout en parlant, il l'observait par-dessus ses demi-lunettes. Caroline se mit à rire.

— Papa, tu as l'air d'un homme de cent ans quand tu me regardes comme ça.

— Laisse faire les farces. Les études, c'est sérieux, tu sais. Je veux que tu me montres en détail les travaux que tu as faits et les notes que tu as obtenues.

— Voyons papa. Que préférerais-tu : Une première de classe ou une actrice célèbre à travers le monde entier?

— Une première de classe, c'est évident, ma chouette.

— On sait ben. Une vraie réponse de parent!

— Un parent affamé, corrigea-t-il. Allons, dépêche-toi un peu.

CHAPITRE 4

— J'ai parfois l'impression que cet endroit est mon deuxième chez-moi, confia Caroline à Alexandre, pendant qu'ils nettoyaient leurs pinceaux dans l'évier de l'entrepôt derrière la scène. Je passe plus de temps ici que n'importe où ailleurs.

— Je le sais. Les autres quittent les lieux en laissant traîner leurs pinceaux et leurs guenilles. Toi, tu les ramasses, tu les nettoies et tu les ranges.

— Eh oui ; Cendrillon, c'est moi.

L'entrepôt était, à proprement parler, une pièce minuscule, un alcôve situé au bout d'un petit corridor en arrière des loges. De chaque côté, des étagères de tablettes, pleines d'objets hétéroclites, remplissaient les murs. Il y avait des vieux costumes, des pinceaux, de la vaisselle, des miroirs, des parapluies, un téléphone, etc. Un vrai bazar. Sur le mur opposé à la porte, on avait installé sous la fenêtre un petit évier de bar dans un mini-comptoir en « arborite ».

Bing ! Bang ! Clang !

Cowboy venait de lancer cavalièrement une canne et un casque de pompier dans l'alcôve.

— Hé ! Ho ! Reviens ici et ramasse tes affaires, lui cria Caroline.

Calmement, Alexandre, qui s'essuyait les mains sur la serviette suspendue au-dessus du lavabo, décréta :

— Je m'en occupe.

Sans se hâter, il alla ramasser les objets et les plaça sur une tablette.

La tête rousse de Cowboy apparut dans l'embrasure de la porte.

— Hem! Hem! Êtes-vous prêts à partir?

Alexandre répondit:

— Non, mais merci de ton offre. Euh... j'ai mon auto. Euh... je vais déposer Caroline chez elle. À moins que tu veuilles t'en aller tout de suite, Caro?

L'adolescente regardait songeusement ses mains qui trempaient dans l'eau savonneuse. Elle interrogea mentalement les petites bulles irisées enchâssées dans la dentelle blanche de l'écume. Alexandre la ramenait-il par simple politesse ou parce qu'il désirait partager quelques moments en tête à tête avec elle?

— Je n'ai pas encore terminé. Tu peux «lever le camp», Cowboy, lança-t-elle par-dessus son épaule.

— Oui? Bon! Mais laissez la porte ouverte, hein, vous deux, railla-t-il.

— Je vais la refermer sur ton crâne biscornu aux idées saugrenues, glapit Caroline alors qu'il était déjà dans le corridor, emportant avec lui son rire bruyant.

Caroline termina le nettoyage des pinceaux, rinça l'évier et le comptoir et se tourna vers Alexandre qui, à quatre pattes, replaçait le désordre d'une boîte d'objets.

— Ce n'est pas nécessaire de remettre tout l'entrepôt en ordre, tu sais.

— Ça ne me dérange pas.

— Je ne veux pas que tu penses que je t'ai suggéré de joindre notre équipe pour t'amener à faire du ménage.

— Ben non. Je ne pense pas ça.

— Je... Nous avons réellement besoin d'un menuisier.

— Absolument, répondit Alexandre qui retenait une envie de rire évidente.

— C'est si criant que ça?

— Écoute Caro. Votre équipe a d'autres talents. La comédie, par exemple.

Caroline eut un délicieux petit rire argentin.

— Tout le monde rêve d'être une étoile et d'avoir son nom en gros titre dans le journal. Mais personne ne veut travailler dans l'ombre des coulisses, ni jouer les héros obscurs de l'arrière-scène.

— C'est la même chose partout, tu sais. Que ce soit dans le monde du sport ou du spectacle.

— Probablement que dans le monde journalistique, c'est pareil. Tout le monde veut écrire des articles, mais personne ne veut vendre d'annonces.

— Je comprends ça.

— Comment ça?

— Ben, vendre de l'annonce, c'est un peu comme être obligé de prononcer un discours en avant de la classe; ou déclamer un poème devant un auditoire.

— Qu'as-tu contre les discours en classe? Moi, j'aime ça.

— Nul doute, soupira Alexandre.

— Quels cours préfères-tu?

— Des cours comme les arts plastiques où je peux travailler avec mes mains. J'aime aussi l'histoire et les sciences. Quant à l'anglais, je ne déteste pas le lire, mais j'ai horreur de le parler.

— Moi, je ne comprends rien de ce que le prof raconte en anglais. Tout ce que j'entends, ce sont des

« schh » et des « wing-ling-ting ».

— Moi, je comprends. Mais quand il s'agit de répondre, je bloque.

Caroline s'appuya sur le petit comptoir et le regarda avec étonnement. Bien sûr, elle avait connu plusieurs filles qui ne pouvaient placer deux mots de suite sans rougir. Quelques-unes, même, étaient si timides qu'elles étaient incapables de parler aux autres. Mais jamais elle n'aurait cru que les garçons aient pu, eux aussi, être affectés par la timidité — du moins, certainement pas ceux qui étaient grands et beaux. Ils avaient tous si fière allure quand ils marchaient. La tête haute, les épaules larges, le dos droit ; ils passaient pourtant en conquérants, arpentant le terrain de l'école en longues foulées élastiques.

— En tout cas, je suis contente que tu aies accepté de venir nous aider.

Il referma la boîte, la replaça sur la tablette et lui sourit.

— Moi aussi. On s'en va, maintenant ?

— Mon manteau est dans mon casier.

Le corridor principal n'était éclairé, à cette heure, que par les lumières de sécurité allumées la nuit et placées au-dessus des portes de sortie. Dans la salle, côte à côte, comme des robots métalliques, les casiers projetaient leurs ombres allongées.

Caroline enfila son parka qu'Alexandre, en homme galant, tenait pour elle.

Avant de grimper dans la voiture, Alexandre proposa d'arrêter au Dunkin'Donuts.

— Quelle heure est-il ? s'enquit Caroline.

— 18h15.

— Sacré nom d'un chien, comme dirait mon grand-père. Je suis déjà en retard pour le souper. Ma mère n'y attache pas trop d'importance. Mais mon père! Ah, la, la! Il «grimpe dans les rideaux» quand je ne suis pas là à temps.

Tout en roulant vers son domicile, Caroline regardait Alexandre. Il conduisait prudemment, les mains sur le volant, et regardait la route.

— Est-ce ta voiture?

— Non. C'est celle de mon frère qui est allé étudier à Vancouver.

— Je ne savais pas que tu avais un frère.

Prétendant tenir un micro, elle prit le ton d'une animatrice de la télé:

— Vous dites, monsieur Loiseau, que vous avez un frère. Nos auditeurs aimeraient sûrement en savoir davantage à votre sujet. Pouvez-nous répondre à quelques questions pour combler leur légitime désir de mieux vous connaître? Voyons, combien de personnes votre famille compte-t-elle, monsieur Loiseau, et comment en êtes-vous venu à choisir le métier d'acteur dans le merveilleux monde du théâtre; ah! oui! et quels sont vos sentiments à propos de ce magnifique trophée qu'on vient de vous attribuer. Imaginez, chers téléspectateurs, une œuvre superbe, réalisée par notre grand sculpteur national; il s'agit d'un clou de plexiglas, monté sur bronze. N'est-ce pas excitant, monsieur Loiseau?…

Déjà, ils arrivaient devant la maison. Dehors, la lumière du balcon était allumée pour signaler à la jeune fille qu'elle était attendue. Alexandre arrêta le moteur, puis posa son coude sur le dossier de la banquette. Ses doigts pendants n'étaient qu'à deux ou trois centimètres de l'épaule de Caroline. Il ne parut pas s'en apercevoir, mais elle en ressentait la proximité comme s'il se fut agi d'un feu de camp.

— J'ai deux frères, énonça-t-il, un peu plus jeune que moi, l'autre, plus âgé ; je n'ai pas de sœur, deux parents et un épagneul.

— Ah!, reprit Caroline, de son ton d'animatrice volubile, un véritable, un authentique épagneul pure race. Un vrai de vrai pur-sang canin. C'est sans doute de cet inestimable membre de votre famille que vous tirez votre inspiration artistique, n'est-ce pas, monsieur Loiseau?

Alexandre la regardait en souriant.

— Caroline, tu es complètement folle, finit-il par dire.

— Je suis aussi en retard pour le souper, fit-elle en ouvrant la portière. Au revoir Alexandre. Et merci pour la balade et... l'entrevue.

— Ce n'est rien. Euh... Je peux peut-être te téléphoner dans la soirée. Je veux dire, si tu es chez toi.

— J'y serai. J'y suis d'ailleurs tous les soirs, pendant la semaine. Mes parents ont la mentalité gelée des gens de l'âge de glace ou époque glaciaire. Le pléistocène, comme on l'apprend en histoire des civilisations.

— Oh! Peut-être ne devrais-je pas t'appeler, alors.

— Non, non, s'empressa de dire Caroline. Ils n'ont rien contre les appels téléphoniques. Je ne voudrais pas les faire passer pour des geôliers. En réalité, ils sont gentils et assez compréhensifs. Mais ils sont un peu trop traditionnels et conventionnels à mon goût. Ils regardent probablement trop de programmes éducationnels à la télé. Ils pensent que si les jeunes sortent de la maison le soir en semaine, ils vont se retrouver aux mains des vendeurs de drogue. Ne me demande pas de t'expliquer pourquoi. Mais ils me laissent sortir les soirs de fin de semaine. Peut-être croient-ils que les vendeurs de drogue restent chez eux en fin de semaine ?

— Ils pensent probablement que tu devrais étudier pendant la semaine. Les miens sont pareils.

Feignant la surprise, Caroline haussa les sourcils.

— Vous êtes très perspicace, mon cher Watson.

Ce soir-là, Alexandre téléphona.

À partir de ce jour, il prit sa voiture pour aller à l'école et, chaque soir, ramenait Caroline chez elle. Et chaque soir, il lui téléphonait.

Le vendredi suivant, cependant, il ne put la reconduire, car sa mère avait eu besoin du véhicule dans la journée. Cowboy et Cynthia leur offrirent donc de les emmener. Une fois que tout le monde fut assis dans son auto, Cowboy tourna le bouton de la radio et attira Cynthia tout contre lui. Embarrassée, Caroline se fit toute petite sur son siège. Elle ne savait absolument pas comment réagir jusqu'à ce qu'elle s'aperçoive qu'Alexandre, sans doute mal à l'aise lui aussi, regardait fixement dehors par la fenêtre. Elle opta pour la plaisanterie :

— Tu sais, ils sont mariés depuis l'âge de cinq ans.

Alexandre se pencha vers elle et lui murmura, de façon à ce que la radio couvre sa voix pour les passagers d'en avant :

— Demain, j'aurai la voiture. Veux-tu aller quelque part ?

— Où, par exemple ?

— Sais pas. Je pourrais t'emmener au cinéma.

— Tu pourrais venir chez nous et regarder la télé, si tu veux, offrit Caroline, qui ne connaissait pas les moyens financiers d'Alexandre.

— J'aimerais mieux qu'on sorte, rétorqua-t-il.

Elle supposa donc que cela réglait la question. S'il lui offrait de l'emmener voir un film, c'est qu'il en avait les moyens.

— Le « Retour du Jedi » passe actuellement, dit-elle.

— Tu es une fan de la Guerre des étoiles ? Fantastique !

— Toi aussi ?

— Je collectionne les affiches de science-fiction. Je viendrai te prendre à 19 heures. Oké ?

— Oké.

Ils étaient arrivés en face de chez elle. Elle descendit, salua de la main ceux qui étaient restés à bord du véhicule et rentra. Sa mère était en train de faire du café dans la cuisine.

— Maman, Alexandre m'a demandé d'aller au cinéma avec lui, demain soir.

— Alexandre ? Ce sympathique jeune homme qui te ramène de l'école ? Comme c'est gentil.

Ça l'était. Mais qu'adviendrait-il exactement ? Elle se prit à désirer secrètement que Cowboy et Cynthia aillent avec eux. Non pas qu'elle souhaitait la présence de ce rouquin aux idées parfois aussi « croches » que ses dents, mais parce que la présence de Cynthia la sécuriserait. C'était la première fois qu'elle sortait toute seule avec un garçon. Alexandre le savait-il ? Et, s'il le demandait à Cowboy ? Ce bêta dirait n'importe quoi. De toute façon, Alexandre ne devait sûrement pas ignorer que Cowboy disait n'importe quelle sottise qui lui venait à l'esprit, mais pas nécessairement la vérité, qu'il avait tendance à déformer, soit par plaisir, soit pour mettre les gens dans l'eau bouillante.

À 19 heures précises, le lendemain soir, Alexandre vint sonner chez Caroline.

— Entre. Mes parents aimeraient te saluer.

La tension qu'elle lisait sur le visage du jeune homme fit remonter à la surface de sa mémoire le souvenir du jour où, à l'âge de 6 ans, elle avait dû se rendre au bureau du directeur pour avoir répondu insolemment à son professeur.

— Ne t'en fais pas, ils ne mordent pas, plaisanta-t-elle pour le mettre à l'aise et le rassurer.

Il esquissa un pâle sourire mais semblait être dans ses petits souliers.

— Maman, papa, voici Alexandre. Il est l'enfant chéri de notre équipe de régie, car il est le seul qui sache planter un clou correctement. En fait, si les décors ne s'écroulent pas pendant la représentation, ce sera entièrement grâce à lui.

— Ça nous fait plaisir de te connaître, dit le père de Caroline en tendant la main au jeune homme.

— Moi aussi, articula Alexandre, les mâchoires serrées.

La réponse, plutôt laconique, manquait certes d'originalité. Cependant, Caroline sut, à la façon dont ses parents hochèrent la tête, qu'Alexandre était dans leurs bonnes grâces.

Elle qui s'était attendue à être nerveuse, se trouva plus à l'aise, une fois seule avec Alexandre, qu'elle ne l'était en présence de Cynthia et de Cowboy. Un sentiment de sérénité et de bonheur l'envahit, alors qu'ils roulaient tranquillement vers la salle de cinéma. C'était le même sentiment qui l'habitait quand, après leur travail sur la scène, ils se retrouvaient seuls tous les deux dans l'alcôve derrière les loges, pour nettoyer les pinceaux et ranger les accessoires en échangeant mille propos sur les sujets qui leur tenaient à cœur.

Ils faisaient maintenant la queue pour avoir accès au guichet. Le vent soufflait du nord. Les mains enfoncées dans les poches, le collet du manteau relevé, ils observaient la foule en se dandinant et en frappant leurs pieds l'un contre l'autre pour se réchauffer.

— J'espère que ça vaut la peine d'attendre ainsi, fit Alexandre.

— J'attendrais toute la nuit pour Luke Skywalker.

— Et pour Han Solo?

— Lui? Pas de danger. Je ne traverserais même pas la rue pour le voir.

— Et Darth Vader?

Elle n'eut pas le temps de répondre. C'était à leur tour d'acheter les billets.

Dans la pénombre de la salle, ils partagèrent un sac de maïs soufflé au beurre. Leurs doigts s'effleuraient doucement quand ils se passaient le sac en question.

Deux fois, Caroline surprit Alexandre qui la regardait dans le noir. La lumière issue de l'écran allumait des scintillements dans ses yeux. Chaque fois, il détourna rapidement la tête. Au grand écran, le croisement des épées au laser s'intensifiait; le combat ultime, entre le représentant du côté obscur de la Force et le champion de la Lumière, atteignit son paroxysme. Alexandre chuchota à sa compagne:

— Ton héros est en train de perdre.

— Oui, mais tu connais les réalisateurs de films. Il va reprendre le dessus à la fin. Regarde bien.

Rendue devant sa porte, Caroline réalisa qu'elle venait de faire sa première sortie, seule avec un beau jeune homme. Il ne la ramenait pas de l'école, ce soir. Non! Il la raccompagnait chez elle après une très agréable soirée. À pas lents, ils franchirent la distance qui les séparait de la rue à la maison de la jeune fille, tout en discutant du film.

— J'aimerais bien le métier d'astronaute. Hélas, rien qu'à l'idée de m'asseoir sur une balançoire, le cœur me chavire, lui confia Caroline.

— Cela ne devrait pas être problématique, puisqu'il n'y a pas de mouvement dans un vaisseau de l'espace.

— Tu crois?

— Écoute. Si jamais un engin spatial atterrit dans ma cour et que les petits hommes verts m'emmènent faire une balade cosmique, je te le confirmerai, je te le promets.

— Tu veux dire que tu resterais planté là à attendre qu'ils te capturent?

— Qu'est-ce que tu ferais, toi? Tu irais te cacher sous un lit, peut-être?

— Oui, admit-elle en le regardant.

Il était si près d'elle, qu'elle sentait son souffle sur son front. Leur bouche ne parlait plus, mais dans la nuit étoilée, leurs yeux se disaient des mots que seul le cœur comprend. «Le langage de l'âme, comme celui des étoiles, relève de la lumière qui transporte en elle la flamme de l'amour. C'est cela le côté lumineux de la Force», aurait dit le maître Ubi One Kanubi au jeune

51

Jedi du film.

— Eh bien, Alexandre, je dois rentrer maintenant, avant que mes parents s'inquiètent. Tu sais, j'ai adoré ma soirée.

— Je suis content, dit-il à voix basse.

Ils étaient tous les deux debout sur le balcon. Au-dessus des maisons, la lune s'était levée et ressemblait à une boule de neige, lancée là par Hercule quand il était enfant.

Alexandre descendit une marche. Puis, se ravisant, il se retourna vers la jeune fille.

— Caroline...

— Hum?

Ils étaient face à face, nez à nez, bouche à bouche... Elle sentit la caresse de sa main sur ses cheveux et ferma les yeux. Il s'approcha davantage et posa sur ses lèvres roses son premier baiser.

CHAPITRE 5

Le grand jour arriva enfin. Devant le miroir à moitié éclairé de la loge, Caroline, d'un geste mal assuré, appliquait sur sa figure le maquillage de scène fabriqué en fonction des feux de la rampe. La texture épaisse de ce fond de teint effaçait presque son petit nez, qui semblait s'être fondu dans son visage rond qu'animaient les deux points brillants de ses yeux. De-ci, de là, des mèches rebelles échappaient à l'emprise des pinces à cheveux.

— J'ai l'air absolument affreuse, se lamenta-t-elle. Avec mes petits traits, j'ai l'air d'un visage peint sur un ballon soufflé.

— Ne te mets pas dans des états pareils, intervint Linda, la maquilleuse de la troupe. Tu es parfaite. Regarde. Un peu d'ombre ici, sur les joues, pour faire ressortir les «pommettes». Bon, à présent, un peu de couleur. Et maintenant, une ligne pâle pour accentuer ton nez. Voilà, c'est fait.

Ô magie des cosmétiques! Linda, de ses doigts de fée, avait transformé son visage de lune en celui d'une cover-girl.

— Wow! J'ai maintenant l'air d'une vraie personne. C'est extraordinaire.

Linda rit de bon cœur.

— Maintenant, dit-elle, tu vas faire un malheur sur la scène. Vas-y, c'est à toi. Ah oui! Je te dis le mot de

Cambronne.

Caroline tourna la poignée blanche de la porte et se retrouva dans le corridor.

Là, un sentiment de crainte insensée déferla en elle, comme un raz-de-marée intérieur. Son estomac chavira et elle eut la nausée. Son cœur battait à un rythme fou, comme le balancier d'une horloge détraquée. Elle avait chaud et froid en même temps. Le trac! pensa-t-elle. C'était donc ça? Plusieurs personnes lui en avaient parlé, mais jamais encore elle ne l'avait ressenti. Elle se mordit la lèvre inférieure et, d'un effort de volonté, obligea ses jambes, devenues aussi molles qu'une guenille de coton, à marcher jusque dans les coulisses. Du regard, elle chercha Alexandre, mais ne rencontra que le sourire de Cynthia.

— Où est Alexandre, demanda-t-elle à voix basse.

— Je ne sais pas, je ne l'ai pas vu, répondit Cynthia sur le même ton, il doit être dans la salle.

Caroline émit un grognement de consternation. Ah! Ce sera horrible, se dit-elle. Je sens que je vais foirer. Ce sera affreux. Je vais rater mon entrée, c'est certain. Ah! Seigneur, j'ai un blanc de mémoire. Ciel! que vais-je faire? Et Alexandre qui est dans la salle… Ça va être épouvantable. Ah misère! Quelle honte.

Toutes ces pensées avaient défilé dans l'esprit de Caroline à la vitesse d'un éclair. Le cœur battant, elle entendit la voix de Roxanne, que la nervosité rendait aiguë réciter le texte qui précédait sa sortie à elle et l'entrée presque simultanée de Caroline. Un son de guitare, doublé d'un geste comique du musicien au faciès osseux, déclencha l'hilarité chez les spectateurs. Tout ce monde qui se dilatait la rate en même temps créa dans la salle une atmosphère de détente. Miraculeusement, le trac qui la tenaillait s'évanouit.

Elle sortit des coulisses et entra sur le plateau qu'elle traversa à moitié de cette démarche sautillante qu'elle avait tant pratiquée devant son miroir.

— Ah! Vous voilà!, s'exclama Cowboy qui, pour jouer son rôle, avait posé une bande tout en sequins argent sur son vieux chapeau aux larges bords.

Caroline entra à fond dans son personnage. Elle haussa les épaules, prit une posture légèrement hanchée et lui adressa une moue désinvolte. Elle avait dû répéter ce geste au moins mille fois pour arriver à obtenir le « timing » désiré et le degré de spontanéité et de nonchalance voulu. Mais aujourd'hui, elle récoltait le fruit de ses efforts, car les applaudissements éclatèrent et les rires fusèrent de toutes parts. Cette réaction de la foule galvanisa la jeune actrice.

Soudain, ce fut comme si les spectateurs n'existaient plus. Ce fut comme une répétition routinière avec Cowboy, devant madame O. et l'équipe de la régie. Sûre d'elle-même, la voix forte et claire, les gestes précis, l'expression outrancière, elle y alla d'une performance éblouissante. Tout fut parfait : le court dialogue avec Cowboy et chacune des danses et des pantomimes qui donnaient vie, pendant quelques instants, à divers personnages, tous plus drôles les uns que les autres. Quand elle quitta les planches, à la fin de son numéro, un tonnerre d'applaudissements ébranla toute la salle. Plusieurs spectateurs même étaient debout et lançaient des « Bravo! ».

— Va saluer, l'enjoignit madame Odette.

Elle revint sur la scène en balançant un peu les hanches, donna à son visage une expression irrésistiblement hilarante et retourna en coulisses en dansant. Encore une fois, on applaudit à tout rompre, si bien que Caroline dut faire un autre rappel avant que l'auditoire ne se calme.

C'était fini. Elle avait réussi. Dans la loge, Cynthia la serra dans ses bras pour lui marquer sa joie.

— Ah, Caro! Tu as été absolument extraordinaire. Tu as volé la vedette.

— Vraiment? C'était bien? Elle en avait le souffle coupé.

— Si c'était bien? Mieux que ça. C'était fantas-ti-que!

Caroline soupira d'aise et de soulagement.

— Ah, mon Dieu. Je tremblais comme tremble une feuille de tremble quand il vente, déclama-t-elle avec emphase.

— Personne ne s'en est aperçu, ma vieille.

— Je me suis sentie bien, une fois rendue sur scène, dit-elle. Mais juste avant, c'était horrible, abominable, infernal. J'ai cru mourir.

Sur le bout des pieds, les deux copines retournèrent en coulisses pour voir et entendre le reste du spectacle. Tout se déroulait bien, sauf que Roxanne semblait beaucoup plus nerveuse que pendant les répétitions. Plus elle s'énervait, plus sa voix s'amenuisait et devenait aiguë. Ses gestes n'avaient rien de naturel et ressemblaient plutôt à ceux d'une poupée mécanique. Les mots avaient l'air de s'accrocher dans ses dents ou de glisser sur sa langue. On aurait dit qu'ils s'amusaient à lui faire volontairement des entourloupettes et des contrepèteries.

— Ah mon cher-r-r-r ; si vous n'étiez invervenu, je n'egg-xisterais plus. J'aurais tiqué ce triste monde !... Trompez sonnettes, four pêter mon héros !

Elle traversa toute la scène pour sonner le maître d'hôtel.

— Mais où donc est ce maître d'hôtel ? devait-elle dire.

Malheureusement, la fourche lui langua, (oh ! pardon chers lecteurs et lectrices), la langue lui fourcha et on entendit :

— Mais où est donc ce traître hôtel ?

Exaspérée, au bord de la crise de nerfs, elle tira trop fort sur le cordon de la sonnette qui eut la malencontreuse idée de se briser. Horrifiée, Roxanne balbutia la phrase suivante :

— Et quand vous serez riche et célèbre, de moi, votre mémoire gardera-t-elle la trace ?

Un silence poli accueillit sa tirade pendant que Cowboy, bouche bée, la regardait. Il en oublia sa réplique.

— Je ne pourrai jamais... fit la voix du souffleur.

Cowboy reprit ses esprits.

— Jamais je ne pourrai oublier...

À ces mots, un fou-rire général courut dans l'assistance.

Sur le plateau, tout le monde semblait déboussolé. La pièce languissait. Puis, Cowboy fit une pirouette et improvisa quelques phrases qui ramenèrent la scène. Il avait sauvé le spectacle qui connut malgré tout une finale triomphale.

Quand le rideau fut tombé, le guitariste y alla de quelques imprécations entrecoupées de jurons. Madame O. dut le faire taire. L'important était, dit-elle, de participer.

Toute la troupe alla ensuite saluer les spectateurs qui applaudirent quand même chaleureusement les comédiens amateurs.

Caroline se faufila parmi les autres comédiens, l'équipe de la régie et les gens qui transportaient les toiles et les accessoires. Tout à coup, quelqu'un la saisit par le bras. C'était Alexandre.

— Tu as été absolument fabuleuse, dit-il. Ton numéro était super. Bravo!

Son visage et ses yeux rayonnaient d'une façon qui fit battre plus fort le cœur de Caroline.

— Étais-tu assis en avant?, s'enquit-elle.

— Oui. Je voulais te voir. J'avais peur de manquer quelque chose si je restais dans les coulisses.

— Viens-tu au party de la troupe pour fêter?

— Mets-en! Mais pas tout de suite. Je veux donner un coup de main ici pour démonter et ranger les décors.

— Grouille-toi, Caroline, cria la voix de Cowboy. On s'en va.

— Je vais rester et t'aider, offrit-elle.

— Non, non. Vas-y!

— Tu n'as pas confiance en moi? Tu penses que je vais casser quelque chose?

— Je t'ai vue faire avec un marteau. Nous sommes plus en sécurité quand tu n'es pas là.

— Moi qui te croyais mon ami, fit-elle d'un ton faussement offensé.

— Allez, Caroline, accélère!, vociféra Cowboy.

Alexandre poussa légèrement le bras de la jeune fille, qu'il tenait toujours, puis, lâcha prise. Il lui adressa un autre grand sourire et murmura :

— Une étoile comme toi ne s'occupe pas du nettoyage. Va. Je te rejoindrai dès que nous aurons fini.

Il la quitta et monta sur le plateau. Elle partit donc en compagnie de Cynthia et de Cowboy.

Linda avait demandé à ses parents pour tenir le party dans la grande pièce aménagée au sous-sol. Ils avaient acquiescé. Ils avaient même décoré l'endroit avec des banderolles de papier crêpé qui convergeaient vers le centre du plafond.

Toute la troupe, donc, s'était rassemblée chez Linda. À la façon dont ils vociféraient, les haut-parleurs, s'ils avaient eu des cordes vocales, auraient sûrement souffert d'une laryngite carabinée le lendemain. Les liqueurs douces et le «punch» aux fruits coulaient à flots, on se congratulait, tout le monde semblait heureux.

Plusieurs étudiants s'étaient rassemblés autour de Caroline pour la féliciter. Quelques-uns, même, imitaient ses pantomimes, en partie pour lui rendre hommage.

— As-tu vu ceci?, disait-on en répétant la pose, c'était super.

Si Napoléon eût été là, il aurait dit :

— Jeune fille, je suis content de toi.

En signe d'approbation, Cowboy, qui n'était pas Napoléon, lui tapota la tête, comme on fait à un caniche pour lui faire savoir qu'on l'aime bien.

— Hé! Je ne suis pas ton toutou, lui cria-t-elle par-dessus le vacarme des haut-parleurs.

— Oké, miss Intouchable, la taquina Cowboy.

— Tiens, fit Caroline en lui tendant nonchalamment la main, tu peux toucher ma main.

Mais Cowboy lui saisit plutôt le bras et leva sa main haut dans les airs, comme l'arbitre qui lève le bras du vainqueur, dans l'arène après un combat.

— La championne! mesdames et messieurs, cria-t-il d'une voix de stentor. Elle a sauvé le spectacle.

— C'est toi, la vedette, répartit Caroline aussitôt. Mesdames et messieurs, voici celui qui nous a tous portés sur ses épaules, pardon, sur sa guitare : Simon «Cowboy» Deslauriers! Buvons à sa santé. Tous firent chorus.

Cowboy reprit :

— Ouais. Exception faite du dernier tableau. À ces mots, Caroline redressa ses épaules et, telle une figure de proue, projeta sa poitrine en avant, en cambrant bien les reins. Le front altier et la bouche en cul-de-poule, elle parodia la dernière réplique de Roxanne. Tout y était : l'intonation aiguë, le ton forcé et saccadé, l'expression tendue.

— Ah très cher-r-r ; si vous n'aviez tounu le cu, euh... tenou le cu, euh... tenu le coup, nous aurions connu le désastre de tiquer la scène en détresse. Sans votre courage, sans votre immense talent, nous aurions sombré dans la mer des Sarcasmes...

Autour de la jeune imitatrice, tout le monde se tordait de rire.

— Mais pire que tout, continua-t-elle, sans vous, je n'aurais pu trouver le traître hôtel.

— Caroline, arrête!, dit Cynthia à voix basse. Comme une épave flottant au-dessus du flot humain que formaient les autres étudiants, elle vit le visage de Roxanne figé par la consternation. Ses yeux écarquillés accentuaient encore sa pâleur et ses traits fatigués où se lisaient le chagrin et la désolation.

Pendant un bref moment, la panique s'empara de Caroline, mais Cowboy battit des mains et déclama à son tour :

— Je n'aurai fait que mon devoir, ma p'tite dame. Je n'aurai que chanté ma chanson.

Les autres jeunes formaient un rempart autour des improvisateurs. Roxanne ne put les approcher. Caroline l'oublia. D'une voix théâtrale, elle récita :

— Et quand on placera, sur votre tête rousse, la couronne de cristal des dieux du cinéma, ne m'oubliez pas, mon cher-r-r. Je serai la voix qui crie dans le «dessert» : c'est lui le meilleur.

Cowboy exécuta une pirouette maladroite. Caroline saisit sa main.

— Non, non. Pas comme ça, mon cher-r-r. Il faudra pratiquer votre démarche, à ce que je vois. Hum! Laissez une experte vous démontrer comment il faut s'y prendre.

La tête toujours haute, les épaules droites, le dos arqué et le buste en saillie, Caroline se mit à marcher à pas menus en se tortillant les hanches. Cowboy, derrière elle, essayait de l'imiter. Le manège se poursuivit pendant une ou deux minutes au bout desquelles ils se mirent à rire à s'en tenir les côtes. Des applaudissements nourris, des sifflements et des cris d'enthousiasme emplirent la pièce, submergeant même le stéréo qui, pourtant, diffusait à la volée des gerbes de décibels.

Quelqu'un proposa alors :

— Caroline! S'il te plaît, recommence ton numéro du spectacle. Avant qu'elle n'ait eu le temps de réfléchir,

Cowboy avait saisi sa guitare. Déjà, les premiers accords de la chanson résonnaient. « La vie est une porte tournante… »

Pendant que tout le monde battait la mesure en frappant dans leurs mains, Caroline refit de bonne grâce toutes les pantomimes. Chacun reprenait le refrain en chœur. Finalement, épuisée par l'effort, elle s'arrêta, leva les mains et implora :

— Ouf ! Joue autre chose avant que je trépasse.

Essoufflée, le front moite, elle se fraya un chemin parmi les danseurs, qui s'agitaient et se trémoussaient à qui mieux mieux au son du stéréo, jusqu'au comptoir des rafraîchissements.

Soudain, son œil vif de Scorpion aperçut Alexandre au bas de l'escalier. Il lui tournait le dos. Elle s'approcha derrière lui. Il ne l'entendit pas. Elle allait lui toucher le bras pour l'avertir de sa présence quand, tout à coup, il ouvrit la bouche pour s'adresser à une autre personne.

— Tu as été admirable, la complimenta-t-il.

Par-dessus l'épaule du garçon, elle aperçut Roxanne, debout dans l'escalier, avec son manteau jeté en travers de son bras.

— Merci, dit-elle. Et bonsoir.

— Tu ne peux pas, euh…, tu ne veux pas rester un peu ?

— Non. J'ai un gros mal de tête ; et puis, c'est trop chaud et trop bruyant ici.

— Écoute, veux-tu que j'aille te reconduire ?

La lèvre inférieure de Roxanne trembla. Cependant elle répliqua :

— Tu es gentil, Alexandre, mais j'ai mon auto.

Merci quand même. Au grand étonnement de Caroline, Roxanne se mordit la lèvre comme pour refouler ses pleurs et monta l'escalier en toute hâte.

— Qu'est-ce qui lui prend?, fit Caroline, tout éberluée.

— Oh! Allô, Caro.

Son visage, si rayonnant dans les coulisses tout à l'heure, était devenu de marbre. Bien sûr, il n'avait pas l'air fâché, mais il ne souriait pas non plus. Les mains enfoncées dans ses poches, il se contentait d'observer tout le monde à la ronde.

Caroline le prit par le bras.

— Viens manger. Il y a plein de bonne bouffe pour surtaxer notre foie et le faire travailler en temps supplémentaire.

Ils allèrent donc goûter aux croustilles, aux noix, aux biscuits et aux «brownies», qu'ils arrosèrent de punch aux fruits et de cola glacé.

— Avez-vous démonté tous les décors?, demanda-t-elle.

— Oui.

— Combien en avez-vous brisé?

— Aucun, car tu n'étais pas là.

— Merci bien. Tu rassures drôlement mon ego.

— Depuis quand ton ego a-t-il besoin d'être rassuré?, répondit Alexandre en levant un sourcil.

— Que veux-tu dire par là?

Il haussa les épaules mais s'abstint de répondre.

Un morceau musical au rythme langoureux venait de succéder à la musique endiablée de l'heure précédente. Quelqu'un baissa l'éclairage.

Alexandre tendit les bras vers Caroline et l'attira contre lui. Ils se perdirent bientôt dans le remous des autres danseurs. Elle essaya de penser à un mot d'esprit, mais son cerveau refusa de collaborer. Sans doute était-il fatigué d'être constamment sollicité pour pondre des remarques piquantes ou des épigrammes acérés. Ce soir, il se reposait. Ou plutôt, il l'aurait bien voulu.

Elle sentait le menton d'Alexandre, appuyé sur son front. Les épaules du garçon l'empêchaient de voir les autres couples. Elle les devinait cependant, car l'un ou l'autre d'entre eux venait les frôler ou les frapper à l'occasion.

Alexandre resserra son étreinte. Elle se détendit, ferma les yeux et laissa son visage reposer sur son épaule masculine ; mais dans sa tête, les pensées n'arrêtaient pas de tourbillonner.

Elle l'avait entendu offrir à Roxanne de la raccompagner chez elle. Et si la ravissante jeune fille avait accepté, que se serait-il passé ? Avait-il eu l'intention d'aller reconduire Roxanne et de revenir ensuite à la fête ? Ou bien avait-il planifié de passer la soirée avec elle ? Souhaitait-il tenir Roxanne entre ses bras, actuellement ? Comment pouvait-elle, elle, une fille somme toute très ordinaire, concurrencer une beauté fatale comme Roxanne ?

Comme tout Scorpion qui se respecte, elle se « tourmentait la cervelle » et se « rongeait les sangs », aurait dit sa grand-mère.

Tout à l'heure, pendant les courts instants où elle avait fait son numéro avec Cowboy, elle avait ressenti la joie d'être le clou de la soirée, d'être une étoile. Mais sa gloire et sa joie furent aussi brèves que le passage d'une étoile… filante. La dure réalité, en l'occurrence, l'offre d'Alexandre à Roxanne, l'avait brusquement ramenée à sa place sur la terre. Elle se savait douée quand elle était en scène. Mais hors de la scène, c'était une autre paire de manches. Elle se présentait toujours comme « une fille ben ordinaire ».

Grandeur moyenne, poids moyen, assez mince, cheveux châtains, visage rond, mâchoire carrée, nez en pâte à modeler, prothèses dentaires et grands yeux bruns, je suis la candidate idéale pour me présenter au concours de Miss Quelconque.

Cowboy, qui passait près d'eux, lui glissa à l'oreille :

— Hé ! les amoureux. Pas si collés.

Caroline redressa brusquement la tête et lui lança un regard flamboyant de colère. Tenant Cynthia tout contre sa poitrine, il passait doucement d'un pied à l'autre dans un balancement langoureux. Caroline voyait son visage, criblé de taches de rousseur, appuyé sur les cheveux blonds de Cynthia.

— Faites ce que je dis, non ce que je fais, hein fin finaud ?

Sans se formaliser, le guitariste aux cheveux couleur de feu abaissa lentement l'une de ses paupières et lui lança un long clin d'œil.

— Ne te fâche pas. Avez-vous besoin d'un chauffeur tous les deux ?

Elle l'aurait volontiers étranglé sur-le-champ. Comment pouvait-il être si stupide ? Qu'est-ce qu'il avait voulu dire par « tous les deux » ?

De son côté, Alexandre n'avait pas mentionné qu'il la ramènerait après la soirée. Bien entendu, elle avait présumé qu'il le ferait, mais ce n'était pas la même chose que s'il le lui avait proposé de vive voix.

— Non merci, répondit Alexandre. Nous avons une voiture.

CHAPITRE 6

Assise dans son lit, Caroline téléphona à Cynthia, le lendemain de la fête, pour lui exprimer ses inquiétudes.

— Je ne sais plus quoi penser. Je suis toute mêlée…

— Du calme, voyons. Ne t'en fais pas. Il t'a ramenée chez toi, hier soir, n'est-ce pas ? Il ne l'aurait pas fait si tu ne lui plaisais pas.

— Ben ! Il n'avait, comme qui dirait, pas le choix, remarqua Caroline avec un certain dépit dans la voix. Cowboy l'y a presque forcé…

— Telle n'était pas son intention, l'assura Cynthia. Il croyait vous rendre service.

— Oui, je le sais. Je ne suis pas fâchée contre lui. C'est juste que… ben, je ne sais pas si tu comprends ce que je veux dire… Alexandre, euh… ben, je croyais que lui et moi… je pensais qu'il me trouvait de son goût. Jusqu'à hier soir, je veux dire. Oh ! bien sûr, il a été gentil et poli et tout et tout… Un peu trop, même. Un peu comme s'il voulait me faire comprendre que je ne l'intéressais plus. Et puis, il y a autre chose. À propos de Roxanne. Savais-tu qu'il lui a offert de la raccompagner chez elle ? Je l'ai entendu. Mais elle a refusé. Alors, tu comprends, il était comme « poigné » avec moi.

Maintenant allongée sur son lit, Caroline contempla le plafond de sa chambre pendant les quelques instants de silence qui suivirent.

À l'autre bout du fil, la voix de Cynthia reprit :

— Je ne pense pas qu'Alexandre ait vraiment eu l'intention d'aller reconduire Roxanne.

— Pourquoi le lui a-t-il offert, alors?

— Par pitié. Parce qu'il voyait qu'elle avait de la peine.

— Comment ça, de la peine? Juste parce qu'elle a « muffé » sa dernière réplique?

Tout en disant ces mots, cependant, Caroline savait pertinemment bien que là n'était pas la raison du désarroi de Roxanne.

— Ummm. C'est possible.

— Rien du tout. C'est parce qu'il avait honte. Je lui ai fait honte, n'est-ce pas? Cette stupide imitation de Roxanne, c'est ça qui l'a gêné, hein?, gémit Caroline.

— Ton imitation était très drôle, Caro... seulement... euh... c'est parce que, des fois, tu ne t'arrêtes pas à penser. Je veux dire que tu fais des imitations pour faire rire les gens. C'est certain que c'est drôle, mais pas pour la personne que tu imites, tu comprends?

— Mais je ne veux blesser personne pourtant, se lamenta Caroline.

— Je le sais bien, dit Cynthia. Elle mit beaucoup de douceur dans cette réponse, comme si elle pouvait, d'un mot, étendre un peu de baume sur la souffrance qu'elle percevait chez son amie.

— J'ouvre ma grande trappe et hop! Les paroles s'envolent sans que je puisse les retenir... comme des oiseaux quand on ouvre la porte de leur cage... Ce n'est que trois jours plus tard que j'en réalise la portée.

Cynthia eut un petit rire cristallin; le genre de rire qui rappelle une source qui chante sur les cailloux en descendant la montagne au mois de mai, saluant au passage les grands pins, les bouleaux et les petites fougères.

— Arrête de t'en faire, c'est pas grave. Ça va s'arranger. Si tu veux, Cowboy peut lui suggérer qu'on sorte tous les quatre.

— Pour l'amour du ciel, Cynthia, ne fais pas ça, s'écria Caroline. Je ne peux pas forcer Alexandre à m'aimer. Ah, Cynthia! Si seulement j'étais comme toi. Personne ne se fâche jamais contre toi.

La conversation téléphonique terminée, Caroline alla examiner toute sa personne d'un œil critique, devant le grand miroir suspendu sur la porte de son garde-robe. Elle reprit un bref instant la pose hanchée et la mimique théâtrale qui lui avaient valu tant de succès au cours du mimodrame. Puis, elle fit une grimace à son reflet.

Si seulement elle était plus sérieuse, plus pondérée... si seulement elle avait l'air frêle et féminine comme Cynthia, ou voluptueuse et aguichante comme Jessica et Roxanne... «Alors, là, songea-t-elle, je lui plairais. Je serais davantage comme le genre de fille qu'il aime.» Ah! Que n'était-elle pas l'une de ces nymphes dont parlent les poètes!

Elle passa ses doigts dans ses cheveux rebelles et, des deux mains, les lissa en les tirant vers l'arrière de sa tête dans l'espoir de se donner une allure sophistiquée. Quand Linda l'avait maquillée, deux jours plus tôt, son visage lui était apparu sous un jour presque charmeur, séduisant même... Alors, peut-être... sait-on jamais?...

Caroline se plaça de profil devant son miroir et scruta sa réflexion d'un regard oblique. Oui. C'était sans doute ça. Tout était dans le «look», dans l'aspect physique. Il lui suffirait peut-être d'adopter un autre style vestimentaire et une coiffure étudiée pour avoir un comportement élégant, réservé, calme, féminin, etc. Oui! C'était probablement la solution toute trouvée pour reconquérir le cœur d'Alexandre.

Sa décision fut prise. Elle utiliserait l'argent qu'elle avait reçu en cadeau lors de son anniversaire pour se payer une nouvelle tête : la sienne, mais au bon sens du mot, se dit-elle en riant sous cape. Il faut parfois savoir rire de soi, lui disait son grand-père.

Lorsqu'elle pénétra dans la classe, le lundi matin suivant, des souffles d'admiration contenus l'accueillirent. Elle faillit succomber à l'envie de se retourner, main sur la hanche et nez en l'air, dans une posture de mannequin de magazine, pour épater les copains. Mais elle se ressaisit à la pensée que maintenant elle était une nouvelle Caroline.

Il ne fallait pas ternir cette image, surtout aux yeux d'Alexandre. Elle se contenta donc d'aller posément s'asseoir à son pupitre, empruntant cette démarche sobre et mesurée, un tantinet féline, qu'elle avait pratiquée la veille devant son miroir.

L'avant-veille, elle avait passé l'après-midi au salon de beauté : nouvelle coupe de cheveux, pour donner l'illusion d'un visage plus mince et moins espiègle, manucure complet et vernis à ongles rosé, longue session avec l'esthéticienne qui lui avait montré comment accentuer légèrement la ligne de ses sourcils avec un crayon fin et comment mettre ses grands yeux ambrés en valeur à l'aide d'un soupçon d'ombre à paupières. Quant à ses joues satinées, inutile de les colorer de rouge. Cela ferait trop théâtral, avait dit l'esthéticienne.

— Mais je veux avoir l'air « cool », avait dit Caroline. Vous savez, comme les modèles de Clin d'œil ou d'Allure ou de Vogue avec leurs joues creuses et leur long coup de cygne.

L'esthéticienne avait étudié son visage et sa silhouette et lui avait donné quelques conseils :

— La façon de te vêtir y est pour beaucoup, tu sais. Essaie tes vêtements devant ton miroir et apporte des petits changements. Ainsi, au lieu de porter des chandails amples par-dessus ta jupe ou ton jean, mets une ceinture pour souligner la minceur de ta taille. Tu peux aussi leur ajouter un collet de dentelle ou un ruban.

En conséquence, elle avait remisé tous ses chandails de coton aux couleurs vives avec des slogans écrits dessus. Ceux de Gaston Lagaffe entre autres.

Ce matin, elle avait endossé un chandail de laine marine et une jupe écossaise marine et grise, qui ne l'avaient guère enthousiasmée, au moment où sa grand-mère les lui avait offerts à Noël.

Comme elle avait passé la fin de semaine le nez plongé dans les magazines de mode, elle savait qu'elle ressemblait aujourd'hui aux images sages qu'elle y avait vues, y compris le petit foulard de soie bleue négligemment noué sur l'épaule et retenu par une broche d'allure ancienne.

Assise à sa place, elle incarnait l'image de l'étudiante modèle. Elle ouvrit calmement son livre et, mine de rien, posa bien en vue sur son bureau ses mains aux ongles laqués.

— Voyons, Jean-Charles, qui furent les deux premiers apôtres de Jésus, demanda monsieur Lebrun.

— David et Goliath.

Un fou-rire général secoua toute la classe.

— Hem, hem. Non, Jean-Charles. Une autre réponse comme celle-là, et tu vas me faire une recherche de dix pages sur le nom, l'origine et l'histoire de chacun des douze apôtres. Compris? Caroline, peux-tu renseigner ton confrère?

« N'importe quelle nouille saurait ça », faillit-elle dire, mais ravala sa réplique en regardant ses ongles d'un air absorbé. Elle se contenta de répondre d'un ton détaché :

— Simon et André.

— Parfaitement, confirma monsieur Lebrun qui ajouta : j'ai bien aimé ta performance, Caroline. Excellent, ton mimodrame.

Déjà, une petite phrase un peu insolente arrivait sur le bout de sa langue, prête à prendre son envol.

Mais Caroline la remplaça par un sobre « merci » prononcé sur un ton discret.

Dans les corridors, entre les cours et à l'heure du dîner, tout le monde la complimenta sur sa nouvelle coupe de cheveux et son nouveau « look ». Tout le monde sauf Cowboy qui, selon son habitude, enjamba le dossier d'une chaise avant de s'y affaler lourdement et cria à tue-tête :

— Es-tu tombée sur la tondeuse à gazon?

Caroline s'apprêtait à lui dire sa façon de penser, quand elle vit du coin de l'œil Alexandre qui déposait son cabaret sur la table près du sien. Elle ignora délibérément la remarque du rouquin maigre.

— J'aime beaucoup tes cheveux. Ça te va bien, dit Alexandre en prenant place à côté d'elle en souriant.

Sérieuse et réservée, elle le remercia en hochant la

tête légèrement, puis elle parut se concentrer sur le déballage de ses sandwiches.

Après la journée de cours, Caroline retourna chez elle en autobus, car Alexandre ne lui avait pas proposé de la ramener. Avait-il l'auto? Elle l'ignorait. Et même s'il l'avait, peut-être allait-il reconduire Roxanne maintenant, songea-t-elle avec amertume.

Lundi soir, il ne lui téléphona pas. Mardi soir non plus, bien que, à l'heure du lunch, il vint s'asseoir à sa table. Mercredi, même manège le midi, et toujours pas d'appel téléphonique le soir. Pendant ces trois jours, une grande tristesse avait envahi le cœur de Caroline ; souvent, elle devait refouler des larmes brûlantes de chagrin derrière ses paupières closes. Cela se pouvait-il que la souffrance fasse partie de l'amour? Cet amour, dont parlaient tous les romans et les contes, cachait-il, tout comme les roses, des épines acérées qui vous percent le cœur et vous déchirent l'âme, mais dont le doux parfum vous porte au paradis?

Arriva le jeudi, froid, brumeux, maussade et gris. La journée fut longue. Et quand le soir tomba, Caroline, le cœur lourd, s'était faite à l'idée qu'Alexandre ne l'apellerait plus.

Lorsque la sonnerie du téléphone retentit vers 20 heures, elle était certaine que l'appel ne lui était pas destiné, même si le son grêle l'avait fait sursauter. Mais elle s'était trompée. Quelqu'un voulait lui parler. Était-ce Cynthia?

— Bonsoir Caro. Je... l'auto de mon frère est au garage, depuis quelques jours. Alors j'ai pensé que... euh... penses-tu que nous pourrions aller au cinéma avec Cynthia et Cowboy, vendredi soir?

La surprise et la joie laissèrent Caroline sans voix. Mais aussitôt, une pensée traversa son esprit : « Cynthia a-t-elle dit à Cowboy de demander à Alexandre de m'inviter pour sortir demain soir ? » Mais elle chassa cette idée. « Impossible », se dit-elle, puisqu'elle avait formellement interdit à Cynthia de faire une telle démarche. Après tout, elle voulait susciter l'intérêt d'Alexandre à son égard, mais non lui forcer la main. En elle-même, son cœur et sa raison dialoguaient. Son cœur criait : Oui ! Réponds oui ! Mais sa raison le fit taire.

— Est-ce Cowboy qui a suggéré cette sortie ? s'enquit-elle.

— Mais non, fit la voix d'Alexandre. Je désirais t'en parler avant de lui passer un coup de fil. Mais pourquoi me demandes-tu ça ? Penses-tu qu'ils préfèrent qu'on n'aille pas avec eux ?

Caroline poussa un soupir de soulagement ; ses épaules, jusqu'alors raidies par la tension, se détendirent.

— Ça ne les dérangera pas. Au contraire, ça leur fera plaisir.

Le lendemain soir, quand Alexandre alla chercher Caroline, d'innombrables étoiles parsemaient le ciel hivernal, pareilles à de petits yeux scintillants qui ne s'habituent pas à l'obscurité. Les lampadaires éclairaient d'un reflet mystérieux le long ruban luisant et noir de la rue asphaltée. On aurait dit un décor pour un film d'Alfred Hitchcock. Caroline et Alexandre traversèrent la froide noirceur et prirent place côte à côte sur le siège arrière de l'auto de Cowboy.

— J'ai une surprise pour vous, annonça le grand roux.

— Oui ? C'est quoi ?

— Des billets pour Rock et Belles Oreilles.

— Attends, intervint Cynthia. Peut-être qu'Alexandre et Caroline ont planifié autre chose.

— Qu'en penses-tu Caro ?, demanda Alexandre.

Elle n'aimait pas le groupe, mais prit soin de n'en rien dire. L'« ancienne » Caroline leur aurait sûrement dit ce qu'elle pensait de Rock et Belles Oreilles et de ceux qui allaient à leur spectacle. Mais pas la « nouvelle » Caroline qui, elle, acquiesça simplement par un : « Oké, c'est parfait. »

La salle était bondée de gens qui semblaient apprécier ces acteurs. Caroline ravala ses sentiments, s'assit sans mot dire entre Alexandre et Cynthia, plaça son manteau avec soin sur le dossier de son siège, enleva son foulard de laine, le plia et le mit sur ses genoux. Le fait d'occuper ses mains à ces gestes précis et mesurés l'aidait à maîtriser sa langue.

— As-tu mal à la tête, Caro ?, s'enquit Alexandre dans un murmure discret.

— Comment ? Non. Pourquoi me demandes-tu ça ?

— Tu es si tranquille. Je pensais que, peut-être, tu n'allais pas bien.

Une clameur de protestation naquit au creux de sa poitrine et faillit exploser en paroles. Mais la jeune fille serra les dents et nul son ne sortit de sa bouche. Un sourire forcé sur son visage, elle assista au spectacle et applaudit même aux facéties des comédiens.

Pendant le trajet du retour, la conversation fut polie, mais courte. Caroline sentit une espèce de malaise indéfinissable l'envahir. Un frisson incontrôlable la saisit et la fit trembler comme si son manteau eût été de soie.

L'angoisse monta en elle et noua sa gorge et son esprit, si bien qu'elle devint incapable de prononcer un seul mot. Elle crut qu'elle allait s'évanouir.

Soudain, le véhicule s'arrêta et Cynthia ouvrit la portière. L'air frais fouetta le visage de Caroline qui reprit ses esprits. Alexandre passa son bras autour de la taille de la jeune fille et la reconduisit jusqu'à la porte de sa maison. Il prit sa main dans la sienne.

— Je vais t'appeler demain, promit-il. L'auto sera peut-être réparée.

— C'est bien.

— Seras-tu chez toi?

— Je n'en suis pas sûre. Je veux dire, euh... il se peut que j'aille magasiner avec ma mère, mais je serai de retour dans la soirée.

— Umm-hmm, Caro?

Elle le regarda à travers ses longs cils, un peu à la façon des chats. Quoique le visage du garçon n'ait été qu'une ombre dans la nuit, elle voyait ses cheveux pâles et sentait la chaleur de son souffle.

— Es-tu fâchée, l'interrogea-t-il.

— Fâchée? Pourquoi serais-je fâchée.

— Je ne sais pas. C'est juste que... tu n'as presque pas ouvert la bouche de la soirée. Je pensais que... oh! laisse faire.

Tout d'abord, Caroline essaya de badiner.

— Non, je n'ai pas mal à la tête, et non je ne suis pas fâchée.

— Mais de quoi parles-tu?

— Bien! C'est que... euh... tu m'as demandé — ici, la voix de la jeune fille prit une intonation plus grave pour imiter celle d'Alexandre — « As-tu mal à la tête,

Caroline? Es-tu malade, Caroline? Dis-moi quand te téléphoner... Dis-moi si tu es fâchée... Amuse-moi, Caroline, sois une grande dame comme la ravissante Roxanne... »

Les mots se bousculaient, incontrôlables comme les flots d'un torrent à la fonte des neiges. Horrifiée, elle se tut.

— Crois-tu vraiment ça? demanda Alexandre calmement.

L'irréparable s'était produit, songea-t-elle. Rien. Non, elle ne pouvait plus rien dire, ni rien faire pour rattraper les paroles stupides qui venaient de lui échapper. Et même s'il lui pardonnait, il ne pourrait certainement pas oublier ce qu'elle avait dit. Quel désastre! Elle l'avait fait paraître stupide et ennuyeux alors qu'en réalité il avait été prévenant et plein d'attentions à son égard.

Et puis cette remarque au sujet de Roxanne. Il la croirait jalouse. Elle se serait mordu la langue et se serait donné un coup de pied là où le dos perd son nom.

Il n'avait pas sourcillé et elle était entrée précipitamment dans la maison. Elle retira son manteau, grimpa l'escalier à toute vitesse, se réfugia dans sa chambre, s'abattit sur son lit et fondit en larmes.

CHAPITRE 7

Le cours de maths du lundi suivant trouva Caroline assise sagement à sa place. Pendant que le prof écrivait au tableau, elle laissa tout doucement tomber sa main, paume tournée vers l'arrière. Quelqu'un effleura ses doigts et saisit le petit papier où elle avait écrit trois mots. Elle remonta sa main en lissant soigneusement sa jupe marine sur ses genoux.

Elle ne pouvait rien faire de plus. Maintenant, c'était à Alexandre de jouer. Elle avait mis à exécution le plan que Cynthia et elle avait adopté. Oui. C'était la seule chose à faire. Elle avait donc tracé en lettres carrées le message suivant : « Je suis désolée », message qu'elle avait ensuite plié et adressé à Alexandre. En moins d'une minute, la petite note s'était passée de main à main jusqu'à lui. Cynthia avait d'abord suggéré à Caroline de téléphoner à Alexandre. Mais elle avait répondu qu'elle en était absolument incapable, et qu'elle n'osait même pas lui remettre un billet en main propre, tant elle regrettait son emportement. Jamais plus, songeait-elle avec désespoir, il ne me considérera comme son amie. Mais Cynthia l'avait rassurée :

— Tu vas voir, ça va marcher. Alexandre n'est pas rancunier. Il va passer l'éponge et tourner la page.

Mais pour Caroline, cela n'était guère évident ; de sombres pensées continuaient de rouler dans sa tête. Bref, elle broyait du noir. La veille, sa mère avait noté sa triste mine et avait dit : « Tu sais, le souci, c'est comme une chaise berçante. Ça agite l'esprit, mais ça ne mène nulle part. »

Nonobstant ces sages paroles, Caroline se faisait du souci. Bien sûr qu'Alexandre aurait envers elle une attitude amicale. Il irait probablement encore manger à la même table qu'elle, à la café, et lui donnerait un coup de fil occasionnel pour qu'elle lui explique un problème de maths. Mais, et c'est là où le bât la blessait, il ne penserait plus à elle en termes de la jeune fille élégante et sophistiquée dont il pourrait faire l'élue de son cœur.

Elle était trop loin de l'image de la fille idéale dont Alexandre rêvait, croyait-elle. En fait, elle lui était diamétralement opposée ; sous la coiffure à la mode et les vêtements design, elle était toujours une fille un peu garçonne dont la langue bien pendue et les manières parfois bourrues jusqu'à la rudesse, montraient bien qu'il était dans son tempérament d'aller droit au fait, d'un mouvement soudain et tout d'une pièce.

Non, les mièvreries et les phrases mielleuses de la diplomatie et de l'image liées à la mystique féminine n'étaient pas dans son caractère.

Tout de même, elle conservait, enfoui au fond de son cœur, l'espoir, qu'en dépit de tout, Alexandre lui pardonnerait.

Mais aucune note, aucun billet ne lui parvint en réponse au sien.

À la café, à l'heure du midi, il n'était pas là. Elle balaya le local de son œil perçant, scrutant chaque table. Mais elle ne le vit nulle part. Il était aller manger à l'extérieur.

— Ne t'en fais pas, dit Cynthia. Il va sûrement te

téléphoner ce soir.

— Tu sais bien que non, murmura Caroline d'une voix brisée.

Cynthia aurait bien voulu consoler son amie. Mais elle ne savait plus quoi dire. Des larmes perlèrent au bord de ses yeux. Caroline eut un petit rire de bravade, renifla et battit rapidement des paupières pour empêcher ses larmes de trahir ses sentiments.

— Hé! Ho! C'est moi qui devrais pleurer. Pas toi.

— Je n'aime pas ça quand tu es malheureuse. Tu es mon amie.

— Je vais bien, ne t'en fais pas, mentit Caroline.

L'heure du lunch terminée, elle se hâtait dans le corridor pour se rendre à son cours, lorsqu'elle aperçut Alexandre, debout près de la porte vitrée qui menait à la bibliothèque. Un groupe d'étudiants l'entouraient pendant que la belle Roxanne, cheveux noirs ondulés entourant son visage d'ange très fin, se tenait près de lui.

Les deux cours de l'après-midi lui parurent les plus longs de sa vie. Les aiguilles n'avançaient pas sur l'horloge. On aurait dit que quelqu'un les avait collées et que le temps s'était arrêté. Elle était consciente de chacune de ses respirations… de chacun des battements de son cœur…

Finalement, la dernière cloche de la journée résonna comme une délivrance. Pendant quelques instants, elle resta perdue dans ses pensées, revisant en imagination leur scène d'adieu sous les étoiles… Soudain, un grand frisson la parcourut. Elle s'ébroua et reprit contact avec la réalité de la classe qui retentissait encore du brouhaha des chaises qu'on déplace et de 30 paires de pieds en marche vers la sortie, les casiers et l'air frais du dehors.

Lentement, elle rassembla ses livres, se leva et quitta la salle de cours qui, pour la nuit, allait retomber sous l'emprise du silence.

Pendant qu'elle se dirigeait vers son casier, plusieurs de ses amis la saluèrent au passage. Elle se contenta de hocher la tête d'un air absent à leur intention quand, tout à coup, elle aperçut la pâle chevelure ondulée d'Alexandre. Il venait dans sa direction. Le cœur battant, elle tenta d'imaginer ce qu'il lui dirait, quand il arriverait près d'elle. Lui parlerait-il seulement? Cette pensée lui noua la gorge. Elle se sentit incapable d'articuler un mot. En proie à la panique, elle s'éclipsa par une porte latérale donnant sur l'auditorium. Elle y entra, remonta l'allée en coup de vent, grimpa les trois marches, traversa la scène et, à bout de souffle, s'engouffra dans le petit entrepôt où Alexandre et elle avaient noué des liens d'amitié plus étroits. Elle referma soigneusement la porte, laissa tomber ses livres et s'abandonna à son chagrin, laissant couler librement les grosses larmes chaudes et salées qui l'étouffaient depuis trois jours. Trois jours d'enfer!

Quand le torrent de ses larmes se fut apaisé, elle eut recours aux papiers-mouchoirs qu'elle transportait dans son sac à main, se hissa sur le petit comptoir, s'y assit et regarda par la fenêtre.

Le chemin qui passait derrière l'école était désert. C'était l'image même de la solitude qu'elle éprouvait à cette heure. Tout le monde a quitté l'école sauf, peut-être, quelques étudiants réunis en comité ou quelques élèves qui s'entraînaient au gym. Elle se prit à songer au retour. Elle irait à la bibliothèque, téléphonerait à sa mère, au bureau, et lui demanderait de venir la chercher en passant.

Elle en était là de ses réflexions lorsque, soudain, la poignée de la porte grinça. Figée par la surprise, Caroline ne put que regarder de ses grands yeux de biche effarée, la porte qui s'entrebâillait tranquillement en faisant crisser ses gonds. Dans l'embrasure, un visage apparut : c'était celui d'Alexandre. Elle se détourna pour essuyer ses joues pleines de larmes et ses yeux rougis. Le regard rivé sur l'étroite fenêtre, elle l'entendit s'approcher. Ni l'un ni l'autre n'osait parler. On aurait entendu une fourmi marcher dans le silence de plomb qui sembla durer une éternité.

Caroline parla la première.

— Que fais-tu là? demanda-t-elle pour se donner une contenance.

— Je te cherchais.

— Eh bien, maintenant que tu m'as trouvée, tu peux t'en aller.

— Voyons Caro, ne sois pas ainsi.

Il y avait dans la voix du jeune homme, une douceur infinie. Caroline se retourna subitement pour lui faire face. Les joues en feu, le regard farouche, elle explosa :

— Ne me dis pas quoi faire. Je le sais. Seulement, je ne peux pas! J'ai essayé, mais je ne peux pas! Ce n'est pas ma nature!

D'un ton hésitant, il reprit :

— C'est pas ça que je voulais dire... euh... je voulais dire... euh... est-ce que je peux te parler?

— Il n'y a rien à dire. Je ne suis pas d'humeur à parler. Ni à toi, ni à personne. Laisse-moi tranquille. Je suis venue ici pour être seule.

Il jeta un coup d'œil du côté de la porte comme s'il s'apprêtait à quitter les lieux, puis se ravisa. Fronçant les sourcils, l'air résolu, il lui dit :

— Oké. Ne me parle pas. C'est ton droit. Mais, sapristi, écoute-moi une seconde ; après, je m'en irai si tu veux. J'ai reçu ton message et, eh bien, tu n'as pas besoin de t'excuser. C'est tout.

Caroline se mordit la lèvre et ne répondit pas. Elle avait peur de faire une gaffe. C'était d'ailleurs la raison pour laquelle elle lui avait écrit. Il lui semblait que, lorsqu'elle ouvrait la bouche, les mots se métamorphosaient d'eux-mêmes et transformaient sa pensée. Elle ne faisait plus confiance à sa langue pour parler à Alexandre. Et puis, elle avait rassemblé tout ce qui lui restait de courage pour rédiger ce billet et pour l'attendre ensuite à la café. Maintenant, elle n'en avait plus.

— Écoute, Caro, reprit-il. J'ai compris. J'ai beaucoup réfléchi au sujet de… euh… tu sais, euh… ce qui est arrivé. Vendredi soir, tu essayais d'être une personne différente. Une personne autre que toi.

Caroline renifla et fixa le plancher du regard.

— Je n'essayais pas d'être une autre personne. J'essayais d'être une « nouvelle » Caroline.

— Que reproches-tu donc à l'« ancienne » Caroline?, demanda-t-il tout éberlué.

Il avait l'air de ne pas croire ce que ses oreilles entendaient.

— Tout! Absolument tout! s'exclama Caroline. Je suis sarcastique, j'ai la langue acérée, j'aime qu'on me regarde, je suis trop théâtrale.

— Cela fait partie de ton charme. On t'aime comme ça. Tu as toujours des réparties drôles et tu fais rire les autres.

— Ouais ; je dis aussi des choses stupides et je les blesse.

— C'est beaucoup plus que je ne saurais faire. Sais-tu que je suis incapable d'entrer dans une pièce pleine d'étrangers sans que la peur me paralyse ?

— Peur ? s'écria Caroline avec étonnement. Peur ? Mais, Alexandre, tu mesures six pieds !

Il sourit timidement.

— Pas une peur physique, bien sûr. Non. Je suis plutôt embarrassé de ma personne. Tu vois, je ne sais pas... euh... il faut que je connaisse quelqu'un depuis longtemps pour savoir quoi lui dire. Tu sais, jamais je n'aurais fait partie de l'équipe de la régie, si tu ne me l'avais pas demandé.

— Moi, c'est le contraire. Quand j'ai quelque chose à dire, je le dis. Même que j'ai de la misère à arrêter de parler. Je suis comme un robinet difficile à fermer.

— Ne te dévalorise pas ainsi.

— C'est vrai ! Je n'y peux rien. Je suis faite comme ça. Et plus j'essaye d'être différente, plus je suis pareille. Je te jure que j'ai essayé, pourtant. Mais, chassez le naturel et il revient au galop. Ah, misère ! Pourquoi ne suis-je pas comme Cynthia ?... Pourquoi ne puis-je, comme elle, réfléchir avant de parler, au lieu d'ouvrir ma grande trappe et de jaspiner à propos de tout et de rien. Vois-tu, je voulais être le genre de fille que tu aimes, seulement, je n'y arrive pas. Je ne peux pas être une autre...

Il y avait des larmes dans sa voix.

À bout de souffle et un peu embarrassée par ce flot de mots qui se bousculaient hors de sa bouche en phrases serrées, elle sauta en bas du petit comptoir. Deux grosses larmes débordèrent de ses longs cils mouillés et roulèrent lentement le long de ses joues. Alexandre la prit entre ses bras et, d'une main, leva vers le sien le pètit visage inondé de larmes. Son regard débordait d'une grande tendresse.

— Caroline... je ne veux pas que tu sois quelqu'un d'autre.

La jeune fille crut que son cœur allait éclater dans sa poitrine, déchirée qu'elle était entre son désir impérieux de se jeter à son cou et celui, non moins ardent, de s'enfuir en courant.

Frappant son front contre la poitrine du garçon, elle gémit :

— Oui, c'est ça que tu veux. Je le sais. Tu voudrais que je sois comme Roxanne !

À sa grande surprise, Alexandre se mit à rire de bon cœur. Puis, resserrant son étreinte, comme il l'avait fait le soir de la fête, il se pencha vers elle et pressa son visage contre le sien.

— Caro, ma chouette, tu es « capotée », lui murmurat-il d'une voix câline. Pourquoi diable devrais-je vouloir que tu ressembles à Roxanne ?

Cachant son visage dans le chandail de laine du jeune homme, elle bredouilla :

— Cela t'a fâché lorsque je l'ai singée, à la soirée après le spectacle. Je ne voulais pas l'offenser, tu sais. C'est tout simplement arrivé.

— Maintenant, je le sais.

— Oui, mais cela risque de se reproduire. Je m'efforce pourtant de ne vexer personne. Décidément, je suis dans une impasse. Je ne peux être comme

Cynthia.

— Je te répète, tête dure, que je ne veux pas que tu sois comme Cynthia. Ou comme Roxanne. Ou comme qui que ce soit d'autre. Je veux que tu sois toi, Caroline.

— Quelle Caroline? La nouvelle? Je vais te dire une bonne chose. Ces vêtements stupides m'agacent. Je ne peux pas m'asseoir par terre avec cette satanée jupe, parce qu'il faut la porter chez le nettoyeur quand elle est sale. Et cette saleté sur les cils. C'est fatigant. On dirait que j'ai de la colle dessus. Et puis, as-tu idée comme c'est achalant de devoir utiliser du fixatif à cheveux chaque matin? Ça te rentre dans le nez, ça irrite les yeux et tes cheveux ressemblent à de la laine d'acier quand on les touche.

Il approcha son visage de la chevelure de Caroline pour en sentir le parfum et la texture.

— Ah! C'est donc ça qui sent le parfum.

— Respire profondément et tu t'évanouis, fit Caroline de son ton sarcastique habituel.

Alexandre ne répondit pas tout de suite. Après un moment de réflexion, il dit, d'un air sérieux:

— Cela va être plus difficile pour moi. Je pourrai peut-être m'en tirer si je me teins les cheveux roux... mais, continua-t-il d'un air songeur, je ne sais pas si je pourrai devenir un bon chanteur...

Caroline se détacha de lui brusquement, juste assez pour le regarder droit dans les yeux.

— Es-tu tombé sur la tête? De quoi parles-tu, au juste?

— Ben! T'es-tu imaginé deux minutes comment je me sens à côté de Cowboy? Ce gars-là sait tout faire.

Si tu veux copier Cynthia, il faudra que je copie Cowboy.

— Mais tu es complètement marteau! Où es-tu allé pêcher une idée pareille? Je n'ai aucune envie que tu sois comme Cowboy!, fit Caroline d'une voie plaintive. Ah! Je ne sais pas ce que je donnerais pour pouvoir remonter dans le temps et effacer les deux dernières semaines.

— Et recommencer à zéro?

— Penses-tu qu'on pourrait?, plaida Caroline, avec un petit trémolo dans la voix.

— Hum. Ça veut dire que je dois à nouveau ramasser tout mon courage pour vaincre ma timidité et te réinviter à sortir avec moi…

Le visage du garçon semblait sérieux, mais une lueur de malice dansait dans le bleu de ses yeux tandis que sa bouche réprimait à grand-peine un sourire taquin.

— Ne pourrait-on pas plutôt recommencer juste après que tu m'aies invitée, suggéra-t-elle.

À son insu, ses cils et son cœur se mirent à battre plus vite.

— Ummm! Voyons un peu. C'est peut-être une bonne idée. Ça m'évitera de penser toute la nuit aux phrases que je devrais dire pour que tu acceptes.

— Alexandre Loiseau, tu es encore plus fou que moi!

Le jeune homme entoura de son bras les épaules de Caroline et elle passa son bras autour de sa taille. Il pressa sa joue, duvetée par une barbe naissante, contre celle de la jeune fille.

— C'est vrai que je suis fou. Mais fou d'amour, je crois… Si l'amour est folie, n'est-il pas cependant une espèce de folie sacrée?

Sans un mot, les deux adolescents quittèrent la petite pièce témoin de leurs premières confidences. Ils en refermèrent la porte presque avec dévotion, un peu comme on referme le portail d'une église. Devant eux s'ouvrait le couloir qui menait au dehors, sur la scène de la vie.

L'ÉTÉ
DE
L'ALOUETTE

CHAPITRE 1

« C'est en chantant cet air de jazz que MacPherson a pris le large, sur son parka, une fleur sauvage, au-dessus de sa tête, un p'tit nuage. Du soleil jusqu'à l'Occident, des diamants plein l'lac Saint-Jean, des symphonies dessous les flots et des couleurs sur le radeau... »

Sur le cassettophone, les phrases musicales de Félix, à la cadence desquelles les rames de bois blond plongeait dans l'eau argentée, s'envolaient dans l'air parfumé d'un matin de juillet.

Telle une alouette, dont le chant prend de l'ampleur et s'exalte à mesure qu'elle s'élève, en décrivant une spirale, tôt le matin, Stéphanie s'entraînait.

Elle s'entraînait pour participer à un événement très spécial. Une course de dix kilomètres et demi sur les flots bleus du Pacifique.

Vraiment, l'été de ses 16 ans serait absolument unique. Jamais elle n'en connaîtrait de pareil, elle en était certaine.

Depuis qu'elle était toute petite, ses parents avaient acquis un chalet en bordure du Saint-Laurent, à quelques kilomètres de Contrecœur, en face de Lavaltrie. D'autres familles s'étaient établies, vers la même époque, à cet endroit de villégiature. Les enfants avaient donc, pour ainsi dire, grandi ensemble ; chaque été les réunissait, un peu comme il réunit les voiliers d'outar-

93

des et d'hirondelles qui reviennent chez nous à la belle saison.

Tout d'abord, il y avait Paul. Assez grand, mince, athlétique, le front d'un chanteur de charme, il avait dix-sept ans.

Jusqu'à cet été, Paul n'avait été pour elle qu'un voisin estival au même titre que les autres jeunes dont elle partageait les jeux, les randonnées, les pique-niques, les baignades et la récolte des framboises sauvages dans le petit boisé, en haut de la colline.

Mais depuis quelques semaines, il avait pour elle des attentions et des phrases spéciales, si bien qu'elle se demandait comment il se faisait qu'elle ne s'était pas aperçue avant combien il était charmant. Jusqu'à ce jour de juin dernier, où Paul lui avait adressé un regard et un sourire ensorceleurs, en lui prenant la main pour l'aider à sortir de son embarcation, Stéphanie ne s'était guère intéressée aux garçons autrement que d'une façon amicale.

Puis, il y avait Daniel, dont le chalet de bois rond n'était séparé de celui de Stéphanie que par un terrain gazonné bordé d'une haie de cèdres. Musclé, bronzé, bien proportionné, quoique de taille moins élancée que celle de Paul, le jeune homme avait des épaules assez larges, de longues jambes et des yeux bleu-profond où passaient encore, comme chez les jouvenceaux, toutes les émotions du moment. Cependant, il affichait une certaine réserve, vis-à-vis même des gens qu'il connaissait, préférant garder ses opinions et ses commentaires pour lui.

Mais l'événement mémorable qui entourerait cet été d'un éclat spécial, fascinant, voire magique pour Stéphanie, était ce séjour de deux semaines chez son oncle Arthur au bord de la mer, près de Seattle.

Cet oncle-là était le frère de son père et aussi son parrain. Il avait donc, en accord avec les parents de sa filleule, invité Stéphanie et ses deux amis d'enfance à participer à la course que les estivants organisaient tous les mois d'août sur le petit bras de mer qui relie Alki Point au quai de Winslow.

Des embarcations de toute espèce et de toute construction étaient acceptées dans cette course ; la seule condition d'admission était qu'ils soient mus uniquement par la force musculaire, sans voile ni moteur d'aucune sorte. Naturellement, les rameurs ou les avironneurs pouvaient s'inscrire en simple, en double ou en équipe selon le type de bateau sur lequel ils voulaient relever ce défi marin. Comme au cyclothon montréalais, on voyait toutes sortes de nacelles plus bizarres les unes que les autres. Il y avait même des radeaux que leurs propriétaires faisaient avancer en pédalant. Mais il était rare que ces derniers finissent la course à laquelle ils ne prenaient part que pour s'amuser.

Toujours est-il que Stéphanie s'entraînait chaque matin sur les eaux du Saint-Laurent, de préférence à contre-courant, pour s'habituer à affronter le courant et le vent caractéristique des détroits marins.

Paul était censé s'entraîner chaque matin, lui aussi. Stéphanie jeta un coup d'œil vers la berge, mais rien ne bougeait chez les Coallier ; ni sur le quai, auquel se balançait mollement, au bout de son amarre, le dinghy de Paul, ni sur la pelouse, où des grives en quête de lombrics cherchaient leur déjeuner, ni même derrière la baie vitrée qui regardait sur le fleuve et sur le ciel.

Encore ce matin, Paul faisait la chaloupe buissonnière. «Dommage», soupira Stéphanie en penchant le buste loin en avant pour tirer ensuite avec plus de force sur ses rames.

La lumière rose et or du petit matin avait fait place à la pleine lumière d'une journée qui s'annonçait radieuse. «Paul est sans doute plus fort et plus en forme que moi», se dit la jeune fille avec un brin d'amertume. «Peut-être n'a-t-il pas besoin de s'entraîner autant que moi.»

Elle se cracha dans les mains, appuya ses pieds dans le fond de la nacelle et se mit à ramer avec ardeur, d'un mouvement régulier, ni trop rapide, ni trop haut.

— Pour avoir de l'endurance, lui avait dit son père, lorsqu'elle avait commencé à naviguer vers l'âge de 12 ans, tu dois ramer tous les jours et t'entraîner à garder un rythme régulier.

Conséquemment, Stéphanie se concentra à appliquer une force constante sur ses rames pour vaincre la résistance de l'eau et faire avancer son embarcation qui laissait dans l'onde un léger sillage argenté.

Toute à son mouvement, elle oublia la nonchalance de Paul, tandis qu'au bout de ses rames s'allumaient des gouttes d'eau endiamantées par le soleil et qu'à l'ouest se levaient de petits nuages ouatés. Elle atteignit bientôt l'île des Pirates. C'est ainsi, qu'enfants, Paul, Daniel et elle avaient baptisé cette petite île, sise à quelques encablures du rivage. Elle en fit trois fois le tour avant de revenir vers la terre ferme.

Elle allait accoster lorsqu'une voix familière l'interpella :

— Salut, Steph !

La voix avait le timbre chaud des barytons légers. Elle appartenait à Daniel qui, debout sur la grève, la regardait venir.

— Salut, répondit Stéphanie dans un sourire.

Le garçon attrapa le petit bateau par la proue et l'amarra près du quai. Stéphanie saisit les rames, les balança sur son épaule et remonta l'escalier de pierres plates qui menait à la terrasse derrière le chalet de ses parents. Elle les appuya sur le tronc d'un érable et entreprit de faire quelques mouvements de gymnastique pour dénouer les muscles de ses épaules et de son dos tendus par deux heures de rame.

— Je t'ai observée, fit Daniel. Tu sais, tu commences à prendre de la vitesse.

— Vraiment? Je suis contente. Ça veut dire que je serai en pleine forme pour la course. À propos, c'est dommage que tu n'y participes pas.

— Tu sais bien que j'ai le mal de mer rien qu'à m'asseoir sur le bout du quai quand il y a de la vague.

— Je le sais. Mais c'est ennuyant de s'entraîner toute seule.

— Paul n'est pas allé avec toi, aujourd'hui?

— Non, dit-elle d'un ton sec.

Ah! songeait Stéphanie, si seulement Paul était aussi fiable que Daniel... En dépit du fait que Paul ait résolu de s'inscrire à la course, il ne s'était entraîné que deux fois au cours de la semaine précédente. D'autre part, Daniel était là chaque matin, témoin fidèle des efforts et des progrès sportifs de sa jeune voisine.

— Viens prendre un jus avec moi, dit Stéphanie. Je meurs de soif.

Il la suivit dans la cuisine. Leurs pieds nus faisaient

un petit bruit mat sur le linoléum. Daniel alla prendre les verres dans l'armoire pendant que Stéphanie sortait le cidre de pomme du réfrigérateur.

Puis, ils allèrent s'asseoir sur le patio, à l'ombre des grands ormes, près d'un pin sylvestre. Déjà haut dans le ciel, le soleil filtrait entre les arbres feuillus pour abreuver de lumière quelques marguerites sauvages et deux petits suisses, au dos si joliment rayé, qui batifolaient sur l'herbe.

— Viens-tu au feu de camp, ce soir?

Daniel haussa les épaules.

— Probablement pas. J'ai plein de choses à faire.

— Quelles choses? insista Stéphanie, en se rappelant que sa mère lui reprochait d'être trop mère-poule à l'endroit de Daniel.

Mais le «poussin», qui était du même âge qu'elle, semblait s'accommoder fort bien de cette attitude qu'il attribuait à l'amitié, cette amitié qui avait grandi avec eux depuis leur plus jeune âge et dont on avait inscrit la croissance au crayon, en petits traits superposés, sur le chambranle de la porte de cuisine. Depuis quand, au fait, se demanda Stéphanie, avaient-ils arrêté de se mesurer ainsi chaque année? Ah oui! C'était il y a trois ans, juste après leur Secondaire I. À ce moment-là, Stéphanie dépassait Daniel de trois bons centimètres. Maintenant, cependant, ils étaient de la même grandeur.

Tout en observant un cargo qui descendait le courant vers Sorel, Daniel lui apprit:

— J'ai promis à ma mère de commencer à peindre l'encadrement des fenêtres.

— Oui, mais tu ne vas pas peinturer toute la soirée?

— Bon je vais voir.

Il quitta sa chaise d'un mouvement souple et prit congé de la jeune rameuse.

— Merci pour le jus de pomme. Maintenant, je m'en vais. Au revoir!

Stéphanie le regarda s'éloigner, pieds nus dans l'herbe verte. Puis, elle retourna à la cuisine, vida le lave-vaisselle, passa l'aspirateur et s'en fut sous la douche.

Elle en ressortit avec une serviette enroulée autour de la tête à la façon d'un turban indien et une autre, drapée autour du corps comme un paréo tahitien.

À ce moment même, la porte du chalet claqua.

— Stéphanie? As-tu dîné, ma chouette, demanda la voix de sa mère.

— Non, m'man.

— Voudrais-tu serrer la commande, Steph. J'ai laissé les sacs sur le comptoir. Je dois me dépêcher, car je serai en retard. Tu n'as pas besoin de préparer de repas pour tes sœurs, ce midi. Elles restent à dîner chez ta tante Denise. Bon après-midi.

— Oké m'man. À ce soir.

Ouf! Quel soulagement! Ses deux jeunes sœurs, Isabelle et Nadine, seraient absentes tout l'après-midi. Pas de cris! Pas de chicane! Pas de lamentation! Pas de « J'sais pas quoi faire, Stéphanie... » ni de « Steph, on n'a rien à faire, c'est plate. » Et, surtout, pas de traîneries, de bandes dessinées, de sandales et de serviettes mouillées à ramasser partout dans la maison. Bref, le bonheur total pour quelques heures.

Stéphanie adorait les vacances d'été, le soleil, l'eau du fleuve, le canotage, les fruits et les roses sauvages dont le parfum nourrit le cœur. Une seule ombre au tableau : en tant qu'aînée d'une famille de trois filles, elle était responsable de ses sœurs cadettes et de l'entretien de la maison pendant la période estivale, car ses parents travaillaient tous deux à l'extérieur. Cette tâche lui pesait parfois. Non pas qu'elle n'aimât pas les fillettes, mais elle eût apprécié un peu plus de liberté.

Elle pouvait donc, cet après-midi-là, s'accorder quelques heures de détente solitaire. Elle se sécha d'abord les cheveux et examina dans la glace son minois bronzé, ses cheveux d'ébène et ses grands yeux bleus, piquetés d'or, qui viraient parfois au violet. Satisfaite de son examen, elle tourna son attention vers ses ongles, fronça les sourcils et opta sur-le-champ pour un manucure en règle. Elle ne pouvait les laisser allonger, pour pratiquer son sport favori. Mais elle pouvait quand même les tailler et les vernir. Ce qu'elle fit. Puis, elle appliqua sur ses mains une crème onctueuse, en massant avec fierté la corne qui s'était formée sur ses paumes. C'était là la preuve évidente de ses longues heures d'entraînement.

Son esprit s'envola quelques instants au-dessus des eaux glauques du Pacifique. Quelle sensation éprouverait-elle à concourir là-bas?

En ce moment, elle vivait presque uniquement en fonction de cet événement. Elle en rêvait. Ce serait sans doute, elle en était convaincue, le plus bel été de sa vie.

Paul devait concourir lui aussi. Il le lui avait solennellement promis.

Et surtout, c'était la première fois que le feu de l'été allumait dans son cœur une flamme inconnue, que la présence de Paul semblait attiser.

Un nuage de tristesse assombrit cependant le visage de Stéphanie à la pensée de son voisin. Ils s'étaient entendus pour s'entraîner chaque jour, beau temps mauvais temps, de préférence le matin, lorsque le vent est encore assoupi et que Neptune n'a pas encore déclenché le mouvement des eaux.

À 17 ans, peut-être pouvait-il se permettre d'être moins assidu aux pratiques? Elle s'astreignait cependant à deux heures d'entraînement quotidien. Avait-il changé d'idée au sujet de la course? Désirait-il toujours concourir?, s'interrogeait-elle. Une chose était certaine. Il venait chez elle très souvent et l'emmenait danser ou voir un bon film quand l'occasion se présentait. Il semblait très heureux en sa compagnie et le lui prouvait par ses marques d'affection, ses baisers et ses paroles. Ce soir-là, quand il se pointa le bout du nez au chalet, Stéphanie et Isabelle étaient en train de débarrasser la table de la vaisselle du souper. À peine ses pas avaient-ils fait craquer les marches de bois que Nadine, fillette de 9 ans un peu espiègle, s'écria:

— Eh, Steph! Ton amoureux est arrivé!

Son visage rond et ses cheveux châtain doré, coupés au carré et dépassant à peine le lobe de l'oreille, la faisaient ressembler à un angelot échappé d'une fresque. Mais dans son regard bleu-vert, des lueurs de malice, d'origine moins angélique, lui redonnaient une dimension plus terrestre.

— Sh-sh-sh…, il va t'entendre, lui dit Isabelle à voix basse.

Âgée de 13 ans, Isabelle avait terminé son cours primaire et devait commencer son secondaire en septembre. Son visage, qui gardait encore les rondeurs de l'enfance, affichait une légère inquiétude.

Pour la rassurer, Stéphanie lui sourit, lui lança un clin d'œil et caressa ses cheveux au passage. Depuis qu'elle était entrée dans l'adolescence, elle était devenue soudain très timide ; chaque fois qu'un garçon l'approchait, son regard fixait obstinément le bout de ses souliers. Et si d'aventure il lui adressait la parole, elle bredouillait sa réponse d'une voix presque inaudible.

Stéphanie la comprenait. Elle avait passé par le même chemin. Et puis, Paul était impressionnant. Il faisait 1 mètre 80.

— Salut Paul, fit-elle en ouvrant la porte. Entre.

— Bonsoir Paul, dit à son tour le père de Stéphanie. Penses-tu que Nos Amours vont gagner ce soir ?

— Ils devraient, répondit Paul, qui adorait le base-ball, lui aussi.

— Ah non ! Vous n'allez pas commencer à parler de sports, dit Stéphanie. Allez, on s'en va. Sinon on va en avoir pour jusqu'à demain matin.

— Ne rentrez pas trop tard, les jeunes, dit le père de Stéphanie.

— Pas de danger. Tu sais bien que je m'entraîne, rétorqua la jeune fille en s'en allant.

Une fois dehors, les deux jeunes gens prirent le chemin de la grève. Paul avait passé son bras autour de ses épaules ; elle avait passé le sien autour de sa taille. Sur la plage, le bois mort était prêt et n'attendait que l'allumette qui l'embraserait et le ferait étinceler vers la lune. On ne l'allumerait, cependant, que vers 22 heures, heure à laquelle un bateau qui faisait des mini-croisières descendait le fleuve, toutes lumières allumées. On aurait vraiment juré qu'un navire lumineux glissait sur les eaux noires saluant d'un coup de sirène les riverains saisonniers qui allumaient un feu de camp tout exprès pour lui.

— Je suis bien content d'être avec toi, ce soir. Comme tous les soirs, d'ailleurs, ajouta-t-il tendrement. Il lui adressa un sourire si intense que son cœur se troubla. Personne, jusqu'à ce jour, ne lui avait souri de cette façon. Elle s'éclaircit la gorge d'un « hemhem » pour cacher son émoi.

— Et ce matin, tu n'aurais pas aimé être avec moi ? Au fait, où étais-tu ?

— Dans les bras de Morphée, belle enfant, répondit-il en posant sur elle son regard velouté. Vraiment, j'avais l'intention d'aller m'entraîner avec toi. Mais j'ai passé tout droit.

— Ouais ! Belle excuse.

Il prit son visage entre ses mains soignées, la regarda tendrement, déposa un baiser sur son front, puis sur le bout de son nez, puis sur ses lèvres, chaudes comme une braise.

— Demain matin, c'est certain, je serai là, je te le jure. Croix de bois, croix de fer, si je meurs, je vais...

Elle mit son doigt sur sa bouche pour le réduire au silence.

— ...à moins, enchaîna-t-il, le ton enjoué et l'œil malicieux, que tu ne me tiennes éveillé jusqu'aux petites heures....

CHAPITRE 2

Chacun des jeunes avait apporté soit des guimauves, soit des croustilles, soit des arachides salées. Les plus gourmands avaient prévu des saucisses et des pains à hot-dog ainsi que des biscuits assortis. Chacun s'était également muni de sa boisson gazeuse ou de son jus préféré. Ils étaient une douzaine, assis sur des bûches, à jaser de leurs projets, de leurs groupes musicaux préférés ou du spectacle qu'ils avaient le plus aimé. On discutait cinéma, on racontait des histoires et des anecdotes plus ou moins drôles vécues à l'école, à la maison ou, pour quelques-uns, à leur travail d'été.

Stéphanie avait apporté son cassettophone et François, sa guitare. La nuit était douce, sous les étoiles, et une senteur d'eau et de varech flottait dans l'air. Près d'eux, le clapotis à peine perceptible de l'eau, sur le sable et les galets, accompagnait en sourdine la musique et la conversation des adolescents.

À 21h50, on alluma le feu pour qu'il brille, haut et clair, quand le bateau passerait à leur hauteur. Curieuse, la lune s'était levée et traçait dans l'eau comme un sentier lumineux. Quelques lucioles dansaient dans les taillis avoisinants, pour ne pas être en reste avec les étincelles du grand feu de bois.

À l'heure dite, le navire illuminé déboucha du chenal, glissa entre les rives plongées dans l'obscurité, comme prévu, d'un coup de sirène ; non pas celle qui signale les alarmes, mais l'autre, la trompe de brume, au son plus sourd, plus étouffé, par respect, sans doute, pour ceux qui se reposent à cette heure encore bleue.

L'odeur de la fumée parfumait l'atmosphère.

— Saviez-vous, dit François qui était philosophe et poète à ses heures, que le feu a huit joies et huit peines?

— Où as-tu pêché ça?, demanda Marie-Jo.

— Dans un livre de Mario Mercier.

Quelqu'un demanda à Stéphanie s'ils allaient toujours concourir sur la côte Ouest le mois suivant. Paul répondit à sa place :

— Non seulement nous irons, mais nous gagnerons la course. Steph va remporter la palme, en simple chez les femmes, et moi, je serai champion du simple masculin.

— On veut garder les trophées dans la famille?, le taquina Yannick.

— Bof! On est les meilleurs. Regarde le patinage artistique. Une médaille d'or et une médaille d'argent au championnat mondial de Paris, l'hiver dernier. Le Québec a battu la Russie. Da! Qu'on se le dise.

— Hé! Ho! tu vends la peau de l'ours avant de l'avoir tué, mon vieux, dit Philippe.

— Tu t'entraînes tous les jours?, dit Maryse, en s'adressant à Stéphanie.

— Oui. Deux heures chaque matin. Je n'ai pas manqué une seule journée.

— Quelle détermination, fit Olivier qui ponctua sa phrase d'un sifflement admiratif.

— Ouais, ajouta son amie. Toi, tout ce que tu fais, c'est dormir... et manger, renchérit-elle, en tapotant l'estomac rondelet du garçon.

D'une voix de fausset, Olivier fit semblant de protester et fit mine de la repousser.

— Honche! Hon! Ne me touche pas comme ça, espèce de... d'enjôleuse.

Tout le monde se mit à rire.

Paul piqua deux guimauves au bout d'une longue branche mince. Stéphanie regarda en silence les flamm-mèches bleues et orangées lécher le bonbon blanc qui, peu à peu, prenait une couleur dorée et se perlait de petites bulles avant de s'enflammer. Il les retira du feu, souffla dessus et lui en offrit une.

— Hummm. Tu es un cuisinier extraordinaire, dit-elle d'un ton enjoué.

— C'est rien ça. Tu ne connais pas encore le quart de mes talents, fit Paul en bombant le torse.

— Dis donc, Paul, travailles-tu cet été?, s'enquit Tony.

— Le mercredi seulement à l'épicerie. Et toi?

— Deux soirs par semaine au café. Je nettoie les tables et je mets la vaisselle sale dans le lave-vaisselle. Mais c'est temporaire. Je commence mon cégep en septembre. Je t'avoue que j'ai hâte. Je déteste la vaisselle.

— D'accord avec toi, fit Stéphanie. Au fait, as-tu choisi une option?

— Je veux m'essayer dans la programmation d'ordinateur. Tu sais, je suis un « bollé » en maths. Et puis, si je réussis, on dit que c'est payant.

— Et toi, Nathalie?

Ce prénom allait bien à Nathalie, une blonde éthérée sur qui le regard des garçons s'arrêtait volontiers.

— Oh moi, je ne sais pas trop. Je vais commencer, puis, on verra.

— Tu vois combien tu es chanceuse Steph, dit François. Tu as encore toute une année au secondaire avant de devoir prendre toutes ces décisions embarrassantes.

Mais la jeune fille ne l'avait pas entendu. Elle se demandait de quoi le ciel pouvait bien avoir l'air au pôle Nord, puisque le soleil ne descendait pas sous l'horizon en ce temps de l'année.

Elle fut tirée de sa rêverie par la voix de Sébastien :

— Ah! Voici Daniel.

L'adolescent déboucha dans le cercle éclairé par le feu. Il portait une boîte assez volumineuse.

— Qu'est-ce que tu caches dans ta boîte? demanda Marie-Jo, curieuse.

Il ne répondit pas, s'approcha des bûches, s'assit et ouvrit son colis. Un gros gâteau au chocolat découpé en 12 portions apparut aux yeux qui brillaient dans les jeunes visages. Tout le monde se mit à applaudir.

— Wow! Daniel, tu es un as, dit Geneviève.

On dégusta le dessert avec délice. Puis, on chanta au son de la guitare. Daniel contemplait le feu sans parler. Il semblait fasciné par la danse envoûtante des flammes multicolores.

— À quoi penses-tu, demanda Stéphanie. Tu as l'air bien sérieux.

— Oh! À rien.

— C'est vrai que c'est fascinant de regarder un feu.

— Oui. Mais je vais partir bientôt.

— Pourquoi? La fête vient juste de commencer, dit Paul.

— Il faut que je peinture la maison. Et après, j'ai eu un contrat pour en peindre deux autres.

— Est-ce que ça paye?

— Je l'espère bien.

108

Paul prit Stéphanie par la main.

— Allons marcher sur la grève, proposa-t-il, et barbotter dans l'eau.

Ils enlevèrent leurs souliers. Sous leurs pieds, le sable blond était doux, et l'eau qui le recouvrait semblait phosphorescente. Ils se mirent à courir sur la berge, comme de jeunes chiens heureux, s'arrosant quelque peu et riant aux éclats.

— On se baigne ? proposa Paul.

— Non !, hurla-t-elle. L'eau est trop froide.

Il la prit dans ses bras et déposa un petit bec sur son oreille. Elle leva vers lui son visage rosi par le feu et la course et lui rendit sagement son baiser.

Ils revinrent vers le feu en se tenant par la main. La braise eut tôt fait de réchauffer leurs pieds que leur excursion dans l'onde fluviale avait refroidis. Ils se sentaient bien ; et le craquement joyeux des bûches embrasées était comme le chant de l'âme qui habite les arbres, quand ils sont encore verts.

— Où donc est Daniel ?, s'enquit Stéphanie.

— Il est parti tout à l'heure.

Elle tourna son regard vers le feu rougeoyant, en se demandant pourquoi il les avait quittés si vite. Mais bientôt, ses pensées se brouillèrent et ses paupières s'alourdirent. Daniel n'avait-il pas dit qu'il ne s'en irait que dans une heure ? Il lui semblait qu'il avait prononcé ces paroles à peine un quart d'heure plus tôt. Elle bâilla. Était-ce le feu qui la fatiguait à ce point ? La douleur sourde qu'elle ressentait dans ses épaules et ses cuisses lui apprit que sa fatigue était plutôt causée par les heures passées à ramer sous le soleil. Le lendemain, elle devrait s'y remettre plus tôt, si elle voulait éviter d'être sur l'eau au moment où ses rayons commençaient à darder. Or, en juillet, l'astre du jour commence à taper dur déjà vers les 9 heures. Elle devrait donc avoir fini son entraînement au moment même où les cloches de l'abbaye sonneraient la tierce, à Saint-Benoît-du-Lac. En effet, elle devait éviter d'attraper un coup de soleil si elle voulait ramer convenablement le jour de la course.

— Allons-nous-en, dit-elle à Paul.

— Maintenant? Mais il est encore tôt.

— Oui, mais je veux être sur l'eau dès 7 heures demain matin. Et avant, je dois préparer le déjeuner de mes sœurs.

— On vient juste d'arriver, gémit Paul.

— Il est presque minuit, dit-elle en guise de réponse.

Puis, elle s'achemina vers le petit sentier qui menait de la grève vers les chalets plus haut perchés.

— Il me semble pourtant qu'il n'est pas si tard, plaida Paul.

— Attends à demain matin, quand ton cadran va sonner, jeune homme.

Elle savait bien que Paul était ennuyé de sa décision. Mais elle était trop fatiguée pour s'en soucier. Le lendemain, avec deux heures d'entraînement à faire sur l'eau, il serait bien content de s'être couché à une heure raisonnable, se dit-elle.

Sur le pas de la porte, elle lui rafraîchit la mémoire.

— N'oublie pas de placer ton réveille-matin.

— Oui maman, dit Paul d'un ton moqueur en l'examinant attentivement.

Le regard investigateur du garçon la rendit mal à

l'aise. On eût dit qu'il évaluait, dans son for intérieur, s'il devait ou non continuer sa relation avec elle.

CHAPITRE 3

Une présence insolite avait sans doute alerté les deux écureuils noirs, qui jacassaient à en perdre le souffle, dans le bouleau blanc près de la fenêtre de la chambre où dormait Stéphanie.

Poussée par une brise matinale, une senteur aquatique, où se mêla celle des cèdres, pénétra dans la pièce inondée par les rayons obliques d'un soleil encore pâle. Ce baiser de lumière parfumée, accompagné par la sérénade des petits rongeurs, éveilla Stéphanie. Il était six heures 30.

Elle sauta hors du lit, s'habilla en silence et, sur la pointe des pieds pour ne pas éveiller ses cadettes, se rendit à la cuisine. Après avoir déjeuné d'un demi-pamplemousse, d'un œuf à la coque et de pain grillé tartiné de miel, elle mit le couvert pour ses sœurs et s'assit sur les marches du balcon avec sa tasse de café au lait.

Le ciel était clair, l'air était sec. Ce serait l'une de ces journées chaudes où il ferait bon s'asseoir à l'ombre des grands arbres pendant l'après-midi qui promettait d'être tropical.

Avant de la quitter, la veille, Paul lui avait demandé de lui téléphoner pour l'éveiller. Elle composa son numéro.

Cinq, six coups. Elle l'imagina, enfouissant d'abord sa tête sous l'oreiller pour ne rien entendre, puis se résolvant à se lever et se cognant sur les meubles avant d'atteindre l'appareil téléphonique.

— Allô? fit-il d'une voix enrouée par le sommeil.

— Bonjour, es-tu réveillé?

— Non.

— J'ai une idée. Je vais préparer un petit goûter. Nous nous entraînerons pendant une heure, puis nous ferons une pause à l'île des Pirates. Est-ce que ça te tente?

— Hun-hun.

— Es-tu certain d'être réveillé?

— Ummm? Hun-Hun. Euh… Vas-y, Steph. Commence sans moi. Je vais aller te rejoindre.

— Oké.

Tout en fredonnant sur l'air de «C'est l'aviron qui nous mène en haut», elle prépara rapidement de quoi se sustenter après une heure d'exercice : un thermos de café, des croissants, du fromage Oka, une banane et une belle grappe de raisins verts bien juteux. Ensuite, elle s'installa dans son dinghy et s'éloigna du quai. Isabelle et Nadine dormiraient encore une heure, songea-t-elle. Elles se réveilleraient, se chamailleraient quelques minutes et déjeuneraient d'un bol de céréales devant la télé.

L'eau, ce matin-là, était comme un miroir au-dessus duquel planaient des mouettes, blanches silhouettes se découpant sur un ciel d'azur. Au bord de l'eau, des troupes de pluviers d'Égypte, courant sur leurs pattes grêles, péroraient dans le sable humide. Seuls le grincement léger des tolets de ses rames et le cri des mouettes et des petits échassiers au ventre blanc troublaient l'air tiède. «Sur l'aviron tirons, que pas une ne

114

s'arrête», chantonna Stéphanie. Elle amorçait son second tour autour de l'île des Pirates lorsque Paul émergea de son chalet. Elle savait qu'elle avait le temps de terminer son tour avant que le garçon, qui portait un ensemble de jogging délavé qui lui collait au corps et accentuait la carrure de ses épaules, ne la rejoigne. Ce qu'il fit assez facilement ; puis il rangea son dinghy près du sien. Son visage, encore verrouillé en ce début de journée, portait l'empreinte du sommeil.

— Salut, championne, fit-il.

— As-tu déjeuné ? dit-elle.

— Non.

— C'est pas grave. J'ai apporté du café.

— Aaaah ! Quelle chance !, fit-il en ébauchant un sourire endormi.

— Une demi-heure d'aviron, dit Stéphanie en jetant un coup d'œil à sa montre, et tu auras droit à ta récompense.

— Si je finis le tour de l'île avant toi, tu me donnes un café. Oké ?

— Ce n'est pas une question de vitesse, Paul, tu le sais bien. Ça ne sert à rien d'aller vite. Quand nous serons sur le petit bras de mer, l'important, ce sera la constance, la consistance et non la rapidité.

— C'est bien possible, dit le jeune homme sans trop de conviction.

— Tu sais, s'il pleut ou s'il vente, tu ne seras pas capable de ramer vite. Il va te falloir fournir un effort de longue haleine.

— Ce que tu me racontes là ressemble à la fable du lièvre et de la tortue, répliqua-t-il.

Au bout d'une demi-heure, les deux jeunes gens

accostèrent sur le côté ouest de l'île et attachèrent leurs dinghies à un saule qui plongeait ses énormes racines dans le fleuve même. L'île était d'ailleurs un enchevêtrement d'arbres, de buissons, d'arbrisseaux et de broussailles de toutes sortes, dont quelques-uns arboraient des épines qui égratignaient les jambes des aventuriers en mal de découvertes.

Le seul trésor qu'elle recelait était une cabine de bois rond défendue par les ronces et habitée par les souris et les araignées. Sur la petite plage ombragée où Paul et Stéphanie étaient descendus, un rocher au flanc lisse, entouré de fougères et de liserons couleur d'aurore, pouvait servir de banc. Ils y grimpèrent donc et firent honneur au repas frugal que Stéphanie avait apporté.

— C'est le meilleur déjeuner de ma vie, déclara Paul. Merci Steph. Je devrais toujours déjeuner avec toi, ajouta-t-il d'un ton câlin.

— Alors, tu dois être bien content d'être venu pratiquer, dit la jeune fille. Imagine ! Tu aurais pu perdre cette extraordinaire matinée à dormir…

— Quel choix difficile !, rétorqua Paul avec une moue de regret.

— Comment ? Ne me dis pas que tu préfères passer la matinée au lit plutôt que de venir faire de l'exercice et de respirer à pleins poumons cet air vivifiant ?

— Tu me fais penser au capitaine d'une troupe de scouts. À propos, pourquoi ne pas aller explorer la cabine ?

— Non. C'est mieux d'aller terminer l'entraînement tout de suite, car la journée s'annonce super chaude.

— Raison de plus pour aller nous promener à l'ombre dans le bois.

116

— Paul Coallier! Tu oublies ta promesse.

— Écoute Steph! On est en vacances. On pourrait rester ici et s'étendre au soleil. Qu'en dis-tu? Moi, je piquerais bien un petit somme après ce bon déjeuner…

— Gros bébé, va!, dit Stéphanie en se glissant en bas du rocher jusqu'aux petites fougères. Viens-t'en, il nous reste une heure de rame à faire.

— Il n'y a rien qui nous presse, dit Paul en descendant à son tour.

Ce faisant, il perdit l'équilibre, déboula en bas du rocher et se cogna contre le dos de Stéphanie. Pour reprendre son équilibre, il lui saisit la taille.

— Oké. Si tu ne veux pas jouer à Robinson Crusoé, on pourrait peut-être faire autre chose, dit-il pour la persuader de rester plus longtemps.

— Tu cherches des excuses.

— On est si bien ici, Steph, fit-il d'une voix de miel, tout près de son oreille.

Puis, il lui effleura le cou d'un tendre baiser.

Elle se contenta de rire, haussa les épaules et se dégagea de l'étreinte du garçon. Elle aurait bien aimé rester dans ses bras, à causer tranquillement, allongée à ses côtés sur le petit bout de plage, peut-être se baigner tout habillée et se laisser ensuite sécher par le soleil, avant de s'en retourner. Le lendemain, ils auraient recommencé et ce manège aurait sans doute duré jusqu'à ce que sa belle détermination de se préparer pour la course soit réduite en miettes. Non! Il lui fallait réagir.

D'un ton léger, pour éviter un conflit, elle plaisanta :

— Tut…tut…tut… Tu n'as pas honte, un athlète tel que toi, de vouloir ainsi freiner mon entraînement? Hon! Moi, j'ai fourni le déjeuner; maintenant, tu dois respecter ta promesse. Viens ramer.

— Tu es pire que notre entraîneur au hockey, dit Paul en détachant son bateau.

— Faisons le tour de l'île en sens inverse, proposa Stéphanie.

— Oké.

Ils contournèrent donc l'îlot, dans le sens des aiguilles d'une montre, en mettant le cap vers le nord. De temps à autre, un écho de la rive leur parvenait : le claquement d'une porte en moustiquaire, le choc des assiettes ou des ustensiles, une voix d'enfant, un moteur d'auto... Une odeur d'algues et de joncs imprégnait les abords de cette terre en friche. Intimidé par la présence des rameurs, un héron solitaire déploya ses grandes ailes et s'éleva dans l'air calme.

— Stéphanie!, fit Paul tout à coup, je vais rentrer.

— Mais, je croyais que tu ramerais pendant une heure...

— Ben oui, mais je viens de me rappeler que j'ai une course urgente à faire, dit-il en tournant la proue de son embarcation vers le rivage. En tout cas, merci pour le pique-nique et à demain.

— Veux-tu que je te téléphone pour te réveiller?

— Non, ce n'est pas nécessaire. Je vais me lever. Je te le jure.

Encore une fois, Paul se défilait. Stéphanie en éprouva du chagrin. Elle aurait préféré qu'il lui dise tout franc qu'il n'avait pas envie d'investir temps et efforts pour se préparer à une course qui lui semblait sans doute dénuée d'intérêt. Sinon, pourquoi se cherchait-il constamment des excuses pour ne pas s'entraîner? Pourquoi venait-il de prétexter une course urgente? Et, songea-t-elle avec amertume, si le temps lui avait vraiment manqué, pourquoi lui avait-il proposé un après-midi de « farniente » à l'île des Pirates?

Son taux d'adrénaline fit un bond et provoqua chez elle une irritation que, sagement, elle sut canaliser dans un jeu de rames vigoureux.

« La colère est de l'énergie à l'état sauvage, lui avait un jour dit son grand-père. Si quelque chose te fâche, ma petite fille, respire à fond et concentre ton énergie dans une activité que tu aimes. » Elle mettait donc en pratique ce conseil judicieux. En route vers le zénith, le grand luminaire faisait fondre les ombres et repoussait la nuit au cœur de la forêt. Comme par enchantement, sa colère disparut. Elle tomba sous le charme de l'eau au chant berceur qui, pour mieux l'envoûter, semait dans son sillage des flocons de lumière.

Comme chaque matin, fidèle au rendez-vous, Daniel l'accueillit au retour. Il lui tendit la main pour l'aider à débarquer de son dinghy. Ensemble, ils escaladèrent l'escalier de pierres plates, creusé à même le talus assez haut, en cet endroit du fleuve.

— Je dois préparer le dîner pour Nadine et Isabelle. Viens-tu?

— Non, je dois m'en aller. J'ai laissé le gallon de peinture ouvert et l'échelle est sortie.

— Est-ce que ça avance?, demanda Stéphanie, debout sur la première marche du chalet.

— J'ai terminé les fenêtres du rez-de-chaussée. Il me reste les lucarnes.

— Pourquoi es-tu parti si vite, hier soir?, s'enquit Stéphanie. J'aurais cru que tu resterais plus longtemps.

Le jeune homme enfonça ses mains dans les poches

de son « short » et sembla réfléchir, le regard perdu au-dessus de la cime des arbres, où les feuilles s'abreu-vaient d'un soleil ruisselant. Puis, il eut un hochement de tête avant de répondre vaguement :

— J'avais des choses à faire. Bon, à la prochaine !

— Tu ne veux vraiment pas rester à dîner ?

— Pas aujourd'hui. Euh... vous êtes descendus à l'île, toi et Paul ?

— Ah oui ! J'ai laissé mon thermos dans le bateau. On a mangé des croissants. Si tu en veux, ne te gêne pas, il y en a d'autres dans le frigo.

— Euh... non merci. Euh... j'ai pensé que vous étiez allés explorer la cabane tous les deux.

— Sapristi non ! Tu aurais dû voir les broussailles pleines d'épines qui ont envahi l'endroit. Il faudrait tout défricher avant de pouvoir y marcher.

— Ah bon !

Le jeune homme fit un signe de tête, tourna les talons et traversa la pelouse au pas de course.

CHAPITRE 4

Debout sur le quai, Isabelle et Nadine attendaient impatiemment leur sœur aînée. Elle n'avait pas sitôt accosté que leurs voix juvéniles lui rappelèrent sa promesse de la veille.

— Dépêche-toi, Stéphanie. Tu nous as dit que tu jouerais au Monopoly avec nous.

— Oké, oké. Je vais préparer des sandwiches et de la limonade ; puis on va s'installer sur la table de patio.

Deux heures s'écoulèrent. Il faisait chaud, mais la frondaison des érables, des ormes et des bouleaux leur prodiguait une ombre bienfaisante, traversée çà et là par le vol coloré des chardonnerets et des papillons aux ailes orangées.

Puis, elles allèrent faire trempette dans le fleuve. Après la baignade, elles s'assirent sur le bout du quai, jambes pendantes pour laisser l'onde verte caresser leurs orteils. Elles observèrent d'un œil curieux les « patineurs », ces petits insectes noirs qui s'agglomèrent en grappes denses sur la surface de l'eau, autour des poteaux et sous les quais. Des libellules bleues aux ailes de lumière semblaient superviser leurs manœuvres, au cours de leur vol en rase-mottes. Silencieusement, une couleuvre verdâtre se faufila entre les cailloux et disparut dans l'herbe haute.

Isabelle bâilla, Nadine soupira, Stéphanie s'étira.

— Je m'ennuie, geignit Nadine. Je voudrais aller

m'acheter une bande dessinée.

— Tête de linotte, rétorqua Isabelle. Le village est trop loin pour y aller à pied. À moins que tu veuilles marcher huit kilomètres…

La petite saisit une mèche de ses cheveux et se mit à la tortiller.

— Arrête de tortiller tes cheveux, ça m'énerve, ron-chonna Isabelle.

— Mêle-toi de tes affaires, « bo-boss », hurla Nadine.

— Voyons, les filles, arrêtez de vous quereller, inter-vint Stéphanie, que ces disputes quotidiennes agaçaient.

— J'suis tannée ; elle se pense bien fine parce qu'elle monte en Secondaire I. Mais laisse-moi te dire. Je la vois avec ses amies. Elles passent leur temps à se pous-sailler, à regarder les garçons et à rire bêtement. Sont assez niaiseuses !

— Ferme ta grande trappe, vociféra Isabelle.

Imperturbable, Nadine ajouta :

— Sais-tu quoi, Steph ? Je l'ai vue ce matin. Elle était devant le miroir avec le maquillage de maman. Elle avait le visage tout barbouillé…

Isabelle poussa un grand cri de rage et s'enfuit dans le chalet duquel elle claqua violemment la porte.

— Nadine, vous vous chicanez tout le temps. C'est pas beau, ça.

— Ben, c'est elle qui a commencé, se plaignit la cadette.

— Pis après ? C'est vrai que ça ne te regarde pas. Tu sais, quand tu auras l'âge d'Isabelle, toi aussi tu vou-dras essayer les cosmétiques.

— Jamais de la vie, s'exclama la blonde fillette. C'est tellement stupide.

— Laisse faire. Viens, je vais te prêter un de mes Astérix.

Après avoir expédié Nadine sur la terrasse avec son album, Stéphanie alla vers la chambre d'Isabelle. La porte était close. Elle frappa doucement.

— C'est moi. Est-ce que je peux entrer?

De l'autre côté du battant, elle perçut un reniflement et un marmonnement incompréhensible. Elle pénétra dans la chambre. Isabelle, debout près de la fenêtre, fixait l'azur du ciel en tenant sa figure entre ses mains.

— Hé! Qu'y a-t-il? Qu'est-ce qui t'arrive? Depuis quand les remarques de Nadine te bouleversent-elles?

Isabelle se retourna et leva vers sa sœur un regard embrumé de larmes.

— Ce n'est pas Nadine, se lamenta-t-elle. C'est moi. Regarde-moi. Je suis affreuse! Je suis laide et maigre. Un vrai paquet d'os! Et personne ne m'aime!

Stéphanie regarda Isabelle avec consternation. Elle était pâle; des cernes bleuâtres entouraient ses yeux et ses larmes, délayant le mascara qu'elle avait appliqué le matin, roulaient en rigoles noirâtres sur son visage défait. Ses incisives supérieures faisaient légèrement saillie.

Rien, cependant, qu'un traitement orthodontique ne pouvait replacer à brève échéance. Des mèches noires, indisciplinées, serpentaient autour de son visage maigrelet de jeune adolescente.

Stéphanie eut pour elle un grand mouvement de cœur. Sa sœur lui rappelait comment elle s'était elle-même sentie, au sortir de l'enfance.

— Voyons, tu n'es pas laide. Moi aussi, à ton âge, j'avais les dents un peu en avant. J'ai porté des broches pendant un an et demi et, tu vois, aujourd'hui, elles sont bien droites.

— Je ne veux pas aller à l'école avec des broches. Les autres vont rire de moi.

Stéphanie réprima une envie de sourire.

— Pourtant, quand j'ai commencé mon secondaire, il y a quatre ans, tout le monde voulait en porter. C'était à la mode à ce moment-là et ceux qui n'en avaient pas n'étaient pas dans le vent. Crois-tu que cela ait tellement changé?

— Mais pourquoi moi?, dit Isabelle.

— On se pose tous la même question, tu sais. Écoute, ma chouette. Ton seul problème est dû au fait que tes cheveux deviennent un peu plus gras. Tu n'as qu'à te donner un bon shampooing tous les jours, comme moi. Tu verras, tu auras l'air d'une vraie princesse.

— Jamais je ne serai aussi jolie que toi, j'en suis sûre, gémit Isabelle. Jamais un beau garçon comme Paul ne voudra sortir avec moi.

Elle soupira, l'air soudain très découragé.

— Allons, allons. Viens, je vais te laver les cheveux et te faire une mise en plis au séchoir. Cela va faire toute la différence du monde. Tu sais, tes cheveux ondulent. Tu peux te coiffer de plusieurs façons. Tu verras, une nouvelle tête, ça remonte le moral.

Une demi-heure plus tard, Isabelle interrogeait dans la glace l'image d'une adolescente aux cheveux soyeux et gonflés par la main experte de Stéphanie.

— Tu pourrais faire une annonce de shampooing, remarqua l'aînée d'un ton enjoué.

Isabelle leva vers elle une mine réjouie. Son gros chagrin était disparu.

Le lendemain, Stéphanie et ses deux copains devaient s'envoler pour Seattle avec correspondance à Vancouver. Le départ avait été fixé à 8 heures.

Depuis leur excursion à l'île des Pirates, le lendemain du feu de camp sur la plage, Paul lui avait téléphoné tous les jours, l'avait emmenée au cinéma le vendredi, mais n'était pas retourné s'entraîner une seule fois, préférant se la couler douce, se coucher tard et attendre, pour se lever, que la sonnerie pieuse de l'angelus du midi quitte le campanile de Lavaltrie, traverse le fleuve et vienne le tirer de sa torpeur.

Plusieurs fois, elle fut sur le point de lui téléphoner pour le réveiller. Elle avait même composé les trois premiers numéros, mais, chaque fois, elle s'était ravisée et avait posé le récepteur. Elle ne voulait surtout pas qu'il pense qu'elle courait après lui.

Toujours est-il que « les trois mousquetaires de Contrecœur », comme les avaient surnommés leurs parents, mettaient la dernière main à leurs préparatifs, chacun de son côté. Ce soir, ils se coucheraient tôt.

L'envolée fut merveilleuse. Les trois jeunes gens se relayèrent près du hublot pour admirer tour à tour du haut des airs les plaines de l'Ouest, où ondulaient les blés dorés, les pics et les cimes des Rocheuses, coiffés de calottes de neige brillante et glacée, la fertile vallée de l'Okanagan, où poussent les plus belles pommes du pays — provenant de ses 2 millions de pommiers — et, enfin, l'île de Vancouver et l'immensité diaprée de l'océan Pacifique, dont le seul nom évoque des lagons tièdes et bleus, des plages de sable fin caressées par l'ourlet écumeux des flots, des orchidées vermeilles et des aventures extraordinaires au pied de chutes fantastiques… ou au cœur de grottes inconnues où des trésors fabuleux attendent l'explorateur audacieux. Puis, au décollage, il y avait eu des nuages, énormes boules de ouate, dans lesquels des tunnels secrets abritent, selon les saisons, des perles de pluie ou des cristaux laiteux.

Vus de haut, les édifices de la ville ressemblaient à des bâtisses en Légo, plantées sur une plaquette oblongue installée sur un miroir bleu-vert. C'était fascinant. Puis, l'avion descendit et les édifices se mirent à grossir, comme s'ils étaient vus à travers un zoom puissant. En quelques minutes, ils reprirent leur aspect normal ; l'avion se posa.

Le reste du voyage se fit sans histoire. Arrivés à Seattle, les trois adolescents furent accueillis à bras ouverts par l'oncle Arthur. À 70 ans, il était encore bel homme. Grand, de type anglo-saxon avec, en même temps, une majesté toute biblique, il aurait fait un superbe Samson ou un magnifique Abraham. Il parlait avec lenteur un très bon français, s'appliquant à corriger toute faute qu'il pouvait faire.

— Ah ! Ma petite alouette ! Que je suis content de te voir, dit-il en étreignant longuement sa filleule.

Puis, il donna aux garçons une franche poignée de main.

— Salut, moussaillons, bienvenue dans la ville aux sept collines.

Une fois que tout le monde fut installé dans la Taurus familiale, l'oncle Arthur s'engagea sur la route qui menait chez lui.

— Tu vas voir, ma petite alouette, combien ta tante Aline est heureuse de votre visite. Elle vous a préparé des gâteries et vous attend avec impatience. Tu vas voir comme c'est joli, chez nous.

Bientôt, en effet, apparut au tournant du chemin une colline verdoyante et ensoleillée, au pied de laquelle courait un ruisseau. Un sentier de gravier, bordé de pâquerettes, l'escaladait jusqu'à la résidence. Celle-ci était droite, toute blanche avec, sur le devant, deux hautes colonnes et une grande galerie.

— En arrière, dit l'oncle Arthur, il y a un vaste jardin qui donne de l'ombre et de l'eau. Mais avant de visiter, vous voudrez sans doute vous rafraîchir et vous reposer un peu.

Ils arrivèrent enfin et débarquèrent leurs bagages. La tante Aline ne se tenait pas de joie de voir « cette belle jeunesse », comme elle disait. Sous ses cheveux gris, elle était assez bien conservée. Son beau visage un peu lourd, à la peau ambrée, était éclairé par de magnifiques yeux d'onyx qui reflétaient une grande tendresse. Elle s'adressa à Stéphanie, d'une voix d'oiseau ténue et douce :

— As-tu fait un bon voyage, ma petite alouette ? Tu dois tomber de fatigue. Viens, je vais t'installer dans la chambre lilas, près de la mienne, pendant que ton oncle s'occupera des garçons qui dormiront en haut.

— Dites-moi, les gars, aimeriez-vous aller voir jouer les Mariners, cette semaine ?, demanda l'oncle aux jeunes gens.

— Très certainement. J'adore le baseball, dit Paul avec enthousiasme.

— Je vous emmènerai aussi visiter l'Aiguille spatiale, au Seattle Center, promit-il. Vous savez qu'elle mesure plus de 180 mètres ?

L'oncle Arthur était établi dans ce site naturel remarquable depuis belle lurette. Encore dans la vingtaine, il avait quitté le Québec en motocyclette pour travailler dans l'Ouest canadien. Tout d'abord, il était parti pour la durée des moissons. Mais il avait ensuite décidé, de concert avec son ami Émile, de descendre vers la Californie pour y chercher fortune. Il faut dire qu'à cette époque, le travail était très rare au Québec. Surtout dans la construction où l'oncle Arthur travaillait comme peintre.

Or donc, il avait échoué à Los Angeles où il s'était rapidement déniché un emploi de peintre. Au cours des années subséquentes, il s'était transporté à Seattle et avait été embauché chez Bœing Aircraft en tant que contremaître. Maintenant à la retraite, il coulait des jours heureux et naviguait pour son plaisir sur un petit voilier.

Pour la course, il s'était procuré deux dinghies chez l'un de ses amis, afin que ses jeunes visiteurs puissent concourir dans le même type d'embarcation que les leurs.

Le soir, au souper, Daniel demanda au parrain de Stéphanie d'où lui venait le joli surnom d'Alouette.

— Eh bien, quand elle était toute petite, nous étions allés, sa tante et moi, passer un mois chez mon frère, au Québec.

Tout le temps que dura notre séjour, chaque matin ma filleule se réveillait avec l'aurore et gazouillait dans son lit jusqu'à ce que sa mère la prenne pour lui donner son déjeuner. Or, vous savez sans doute que l'alouette est un oiseau qui chante au lever du soleil. Elle est donc, pour moi, une petite alouette.

— Oh! Elle n'a pas changé, dit Paul en riant. Vous

savez qu'elle s'est entraînée tous les matins, sans en manquer un seul, depuis le début des vacances?

— C'est un oiseau rare, alors, observa la tante Aline.

— Et toi, Paul, quelle sorte d'oiseau es-tu? demanda l'oncle.

— Il est plutôt du genre hibou, commenta Stéphanie en riant. Il aime se coucher tard et dormir le jour.

— C'est parce que je suis une chouette, se défendit le jeune homme.

On s'amusa bien de ces boutades et on parla ensuite d'autre chose. Comme de la température, que l'on espérait favorable pour le jour de l'épreuve sportive toute proche.

Quelques jours plus tard, l'oncle Arthur conduisit les jeunes à Winslow afin qu'ils puissent s'inscrire pour la course.

Entre Winslow et Seattle, le détroit de Puget, formé par les eaux du Pacifique, mesurait onze kilomètres de largeur.

La course commençait du côté de Seattle, à Alki Point plus précisément, pour se terminer au quai de Winslow.

La dame qui prenait les inscriptions avait un visage carré, un regard franc et des cheveux argentés coupés court.

À son allure, on devinait qu'elle avait été très sportive autrefois. Sur son T-shirt, les mots « Grande Traversée annuelle de Puget » étaient imprimés.

— Combien y a-t-il de participants, s'enquit Stéphanie.

— Voyons, fit-elle en consultant sa liste. Il y en a déjà 86 d'inscrits avant vous. Umm. Il devrait y en avoir 200 avant la fin des inscriptions. À moins qu'il pleuve trop fort...

— Ce ne sont pas quelques gouttes d'eau qui empêcheront Stéphanie de concourir, affirma Daniel. Elle s'est entraînée tous les jours, beau temps mauvais temps, vous savez.

— Je suppose que tous les participants voient la chose du même œil, répondit la dame. Eh bien, bonne chance, les enfants.

— Que diriez-vous d'une crème glacée ou d'un lait brassé, avant de repartir?, proposa l'oncle Arthur, qui avait à cœur de choyer ses invités.

Les trois adolescents acceptèrent avec gratitude, car il faisait chaud, malgré la brise qui soufflait du Pacifique.

CHAPITRE 5

Le matin du grand jour arriva. L'oncle Arthur chargea les dinghies dans sa camionnette et prit le volant accompagné des deux garçons. La tante Aline suivit avec Stéphanie à bord de la Taurus. Les deux véhicules prirent le chemin d'Alki Point. Pendant ce temps, le traversier vert et blanc, qui faisait la navette entre Winslow et Alki Point, amenait les concurrents qui demeuraient de l'autre côté du détroit en face de Seattle.

Depuis deux jours, Paul était taciturne. À peine, ce matin, lui avait-il souhaité le bonjour. Cependant, elle n'osait pas l'aborder, de peur qu'il pense qu'elle « s'accrochait » à lui. Après la course, songea-t-elle, tout rentrera sûrement dans l'ordre.

Dehors, un vilain petit crachin, poussé par un vent humide et pénétrant, tombait d'un ciel maussade chargé de lourds nuages.

Le temps, froid et bruineux, avait suspendu un voile grisâtre au-dessus du petit bras de mer, dont la surface frissonnait. Durant la nuit, le mercure avait chuté et le thermomètre n'indiquait que 16 degrés Celsius.

— Quel temps de chien, dit Paul avec une moue dégoûtée. Daniel ne disait rien. Stéphanie non plus. Elle pensait à la traversée tout en regardant l'eau sombre qui se soulevait en petites vagues serrées. Elle savait que le détroit de Puget, plus étroit entre Alki

Point et Winslow, s'étendait sur 560 km du nord au sud, qu'il séparait l'île de Vancouver du Canada et qu'il s'ouvrait sur un autre détroit, celui de Juan de Fuca, que traversaient des navires du monde entier afin de rallier Seattle.

De nombreux véhicules tirant des remorques arrivaient près d'eux. Déjà, plusieurs embarcations étaient à l'eau, formant une flotte hétéroclite que les organisateurs séparaient et classifiaient selon leur modèle, leur taille et le nombre de rameurs qui devaient les actionner.

Pour une personne telle que Stéphanie, qui en était à ses premières armes dans ce genre de compétition, le spectacle était vraiment impressionnant. Les treuils en mouvement, les gens qui s'interpellaient d'un bateau à l'autre et les yachts qui remorquaient les barques, les chaloupes ou les canoës en provenance des environs.

La plupart des participants concouraient en simple, tout comme elle. Bien sûr, il y avait aussi des épreuves en double ou en équipe. Des inscriptions plus originales figuraient aussi au programme. Tout d'abord, il y avait un bateau propulsé par une roue à aubes reliée au pédalier d'une bicyclette qu'un joyeux luron avait enfourchée. Cette catégorie fantaisiste comprenait aussi une barge actionnée par huit rameurs costumés en esclaves, au centre de laquelle une dame, vêtue comme Cléopâtre, était assise sur un siège capitonné.

Un membre du comité s'approcha de Stéphanie et lui tendit un carton plastifié sur lequel le numéro 53 apparaissait.

— Épingle ça sur le dos de ton parka. Bon. De quelle catégorie fais-tu partie?

— Simple féminin.

— Oké, 53. Tu pars en sixième position dans ta catégorie. La ligne de départ se trouve vis-à-vis le centre des bateaux des juges. Écoute bien les instructions relatives à ton numéro. On va te les transmettre par les haut-parleurs. Maintenant, si tu veux bien m'épeler ton nom, je vais t'enregistrer sur ma feuille. Après, tu pourras mettre ton embarcation à l'eau. Mais reste en dehors du tracé de la course jusqu'à ce qu'on appelle le sixième départ des simples féminins. Oké ?

Une bourrasque agita tout à coup la mer déjà houleuse sans toutefois y soulever d'écume. Stéphanie soupira d'aise, car si la mer devenait trop mauvaise, la course serait annulée.

L'oncle Arthur et Daniel aidèrent la jeune fille à descendre son dinghy et à l'installer sur l'eau. Ils lui tendirent son sac à dos dans lequel un thermos de cidre chaud, des fruits et des noix séchées et un chandail de laine étaient rangés.

Stéphanie releva le capuchon de son parka et vérifia si sa boussole était bien dans sa poche.

— Bonne chance, lui dirent ses supporters.

Pendant la demi-heure d'attente qui suivit, elle réchauffa ses muscles en ramant lentement dans l'anse jouxtant la ligne de départ.

— Simple féminin, 6e épreuve, annonça le haut-parleur.

Elle alla s'aligner, avec les autres compétitrices, en approchant l'avant de son dinghy aussi près que possible de la ligne imaginaire, marquée par des petites bouées rouges, qui reliait le flanc central des deux cruisers blancs où se tenaient les juges.

133

— Numéro 47, replacez-vous, dit un juge dans son porte-voix. Vous avez traversé la ligne de départ. Hé là! numéro 32, vous êtes trop avancée aussi. Allons! Pressons! Vous retardez tout le monde.

Pendant que les nacelles reprenaient leur place, Stéphanie scruta la rive pour tâcher d'apercevoir Paul. Il était là, assis dans son dinghy bercé par la houle. Leurs regards se croisèrent.

— Bonne chance, lui cria-t-il.

Mais sa voix se perdit dans le vent.

Les haut-parleurs crépitèrent, annonçant le départ imminent de la 6e épreuve. Stéphanie serra les poignées de ses rames avec force. Le cœur palpitant au rythme de la mer, les yeux rivés sur le juge qui, lentement, levait son bras armé du pistolet de départ, elle s'avança, frôla presque la ligne de démarcation, tout en craignant de la dépasser et d'être rappelée...

Elle en avait des papillons dans l'estomac. Le coup de feu retentit. Aussitôt, de tous côtés, les rames s'abattirent dans l'eau.

Ne pensant qu'à maintenir son rythme régulier, tout en ignorant les autres concurrentes, Stéphanie mit le cap sur Winslow. Immédiatement, elle sentit la force du courant marin contre ses rames.

Quelques rameuses la dépassèrent. Stéphanie nota leur cadence rapide, presque frénétique, qu'elles seraient incapables de maintenir très longtemps. D'autres tiraient déjà de l'arrière. Autour d'elle, d'autres bateaux avançaient à la même vitesse qu'elle, pendant qu'à la périphérie du groupe, le long du tracé de la course, plusieurs yachts patrouillaient au cas où l'une d'entre elles aurait eu besoin d'aide.

Stéphanie allongea son mouvement quelque peu et augmenta légèrement son tempo jusqu'à ce qu'elle atteigne son rythme habituel, le même qu'au cours de ses pratiques quotidiennes. Elle sourit dans son for intérieur, en pensant à la fable du lièvre et de la tortue, à laquelle Paul l'avait comparée.

Une tortue? Oh non. L'entraînement portait fruit, aujourd'hui. Déjà, elle avait dépassé plusieurs embarcations et se déplaçait à une vitesse respectable.

Mais pourrait-elle conserver cette allure jusqu'à la fin de la course, compte tenu de l'état agité de la mer?

Sur la pointe d'Alki, le groupe suivant venait de partir. Paul serait-il parmi eux? Elle n'aurait pu le dire, car seuls les organisateurs du tournoi connaissaient vraiment la position et le numéro assignés à chacun.

Plusieurs fois, Stéphanie balaya du regard l'aire du détroit qu'elle pouvait voir autour d'elle, mais les autres bateaux n'étaient plus que des ombres ou des formes aux contours flous, flottant sur l'eau couleur d'acier. La brume l'enveloppait dans son cocon humide et engourdissait ses doigts. Elle avait bien essayé de porter des gants pour ramer. Mais elle n'en avait pas trouvé qui lui donnaient une aussi bonne prise que ses paumes rendues calleuses par le maniement des rames.

Pendant que les rameurs s'escrimaient contre les courtes lames fouettées par le vent, Daniel et l'oncle Arthur s'étaient embarqués à bord du traversier, pour aller l'attendre à Winslow. Stéphanie aperçut la grande forme blanche, avec ses hublots illuminés, qui s'estompa bientôt au nord dans le brouillard.

Une demi-heure s'était écoulée depuis qu'elle avait quitté la pointe d'Alki. Elle posa le bout de ses rames sur l'arrière de son dinghy, ouvrit son sac, en sortit son thermos et se versa une bonne rasade de cidre chaud. Immédiatement, elle se sentit toute regaillardie. De nouveau, elle était d'attaque pour combattre le vent frisquet.

Son embarcation, ballotée par les vagues, semblait s'être immobilisée pendant la courte escale. Stéphanie remit ses rames à l'eau et dut faire des efforts pour regagner son momentum. Malgré le froid, des gouttes de sueur dégoulinèrent dans son dos, sous sa chemise et son parka. Elle se garda bien, cependant, d'enlever quoi que ce soit.

Autrement, le souffle embrumé du vent aurait eu tôt fait de refroidir son corps, de contracter ses muscles et de lui causer des crampes douloureuses.

Elle dépassa un des bateaux qui l'avait devancée au début de la course. La rameuse semblait exténuée. Assise, la tête entre les mains, elle était immobile et ses rames, laissées à elles-mêmes, traînaient dans l'eau comme les ailes d'un oiseau blessé. Stéphanie ne ferait pas cette erreur. Avec toutes ses semaines d'entraînement, elle se savait capable d'atteindre Winslow, si elle ne forçait pas intempestivement. «Peut-être serai-je la dernière, se jura-t-elle. Mais j'y parviendrai par mes propres moyens.»

C'était là le but qu'elle s'était fixé et rien au monde ne l'aurait fait changer d'idée.

Paul avait clamé bien haut que Stéphanie et lui remporteraient les honneurs, chacun dans leur division. Elle avait agréé en riant, sans toutefois trop y croire. Pour Paul, qui jouait au hockey, gagner signifiait : battre un adversaire. Pour Stéphanie, cela voulait dire :

atteindre son but. Dans ce sens-là, oui, elle était déterminée à gagner.

Près d'elle, la rameuse en détresse signala à l'un des patrouilleurs, à l'aide d'un chiffon orange, de venir la remorquer.

Stéphanie s'éloigna pendant que le yacht allait chercher la jeune femme fatiguée. Puis, elle fouilla la brume du regard pour voir si d'autres concurrentes avaient abandonné la course, commencée depuis une heure.

Mais elle ne vit personne, car la visibilité était fort réduite par les nappes de brumes dormantes. Elle aurait certes espéré apercevoir le dinghy de Paul...

Elle ramait. Automatiquement. D'un mouvement égal, toujours pareil, en projetant bien son buste en avant pour tirer avec plus de force sur ses rames. Soudain, elle se trouva engloutie dans un tunnel de brume plus dense. À peine voyait-elle ses propres rames plonger dans l'eau salée et en émerger. Les sons lui semblaient amplifiés. Elle entendait les battements de son cœur... le craquement et le couinement des tolets... les soufflets incessants des vagues contre la coque de sa barque... le plouf! mille fois répété de ses rames qui plongeaient en cadence dans l'onde tourmentée... et même les petits ploc! que font les gouttes d'eau quand elles glissent des rames pour se fondre dans la mer.

Un doute l'étreignit tout à coup. Avait-elle dérivé? Le vent l'avait-il fait dévier?

Inquiète, elle tourna la tête et aperçut les contours lointains de la rade, noyés dans un brouillard blanchâtre fait d'embruns et de pluie.

Elle décida de manger quelques raisins secs et quelques noix, histoire d'insuffler de l'énergie à son organisme fatigué. Elle savait qu'après elle ne pourrait plus s'arrêter. Ce serait une course contre la montre. Déjà, elle avait peine à sentir le bois de ses rames sous ses doigts gourds ; une douleur sourde s'était installée dans ses jointures et irradiait dans ses bras, ses épaules, son dos et même ses jambes.

Elle réalisa que les courants marins du détroit étaient beaucoup plus forts que ceux du Saint-Laurent. Saurait-elle les vaincre ? Les forces lui manqueraient-elles alors qu'elle touchait presque au but ? On était en août, mais la couche de brume épaisse empêchait les rayons du soleil de pénétrer jusqu'à l'océan. Son jean trempé lui collait à la peau et la faisait frissonner jusqu'aux os. Peut-être, après tout, Paul avait-il eu raison. Peut-être cette course était-elle une idée stupide. « Pourquoi diable, se demanda-t-elle, me suis-je tant échinée à m'entraîner au lieu de me payer du bon temps avec Paul ? Pas surprenant qu'il pense que je suis capotée. J'espère seulement qu'il ne se sent pas aussi misérable que moi. Ah Seigneur ! Je devrais me faire examiner le crâne. Je pense que je ne pourrai même pas lui en vouloir s'il ne me parle plus jamais, après ceci. »

Tout en se tenant ce dialogue intérieur, elle avait atteint la pointe la plus avancée qui marquait l'entrée du petit port. L'eau y était plus calme ; à peine était-elle sillonnée de quelques rides, car les falaises avoisinantes, peuplées de sapin, ralentissaient la vitesse du vent.

À sa grande surprise, une senteur d'arbres se mêlait maintenant à l'odeur de la mer. Elle observa dans le ciel le vol d'un goéland qui, les ailes relevées en ciseaux, pêchait avec délice. Elle jeta un coup d'œil par-dessus son épaule et aperçut le quai.

Elle en oublia sa lassitude et sentit une nouvelle ardeur l'envahir tout entière. Elle accéléra son tempo. Elle n'avait plus qu'un désir : atteindre la ligne d'arrivée. Peut-être même pouvait-elle améliorer son temps d'une ou deux minutes...

Sans doute Paul arriverait-il bientôt. Peut-être même était-il déjà là. Son oncle, sa tante et Daniel l'attendaient probablement sur le quai. En haut du port, elle pouvait voir la foule qui encourageait les rameurs de la voix et de la main. Stéphanie les salua de la main. La course terminée, un pique-nique avait été prévu. De grandes tables avaient été dressées sous des tentes de plastique improvisées. Tout le monde s'y rendrait. On comparerait les douleurs, les durillons, les ampoules et autres bobos causés par le frottement des rames ou des pagaies.

On discuterait des peurs et des craintes éprouvées par chacun, au milieu du vent et de la brume, quand le bateau danse sur la crête des vagues. Puis, on en rirait.

Stéphanie atteignit la bouée rouge qui flottait près du bateau des juges.

— Quel est ton numéro?, demanda une voix masculine.

— 53, dit-elle en se tournant pour qu'il puisse voir le carton épinglé sur son parka.

Il la salua de la main, lui sourit et inscrivit sur son carnet l'heure de son arrivée. Plus tard, les juges compareraient les temps de départ et d'arrivée et annonceraient les résultats de la course.

Épuisée, Stéphanie se dirigea à petits coups de rame vers un des radeaux qu'on avait placés là pour faire débarquer les concurrents. Daniel l'attendait, fidèle comme toujours.

— Combien de temps as-tu pris? dit-il tout excité.

Elle lui fit part de l'heure à laquelle elle avait quitté Alki Point, puis vérifia sa montre. Elle avait couvert la distance en une heure et demie, environ.

Un peu plus de temps que la gagnante de l'année précédente.

— Tu es très près de la tête, remarqua Daniel.

Il avait choisi l'expression sportive consacrée à la première place.

Trop lasse pour spéculer sur les résultats, Stéphanie s'assit sur le quai et regarda les autres bateaux arriver. Son oncle la félicita, sa tante la serra dans ses bras et Daniel lui tendit une serviette. Elle éponga son visage et sécha ses mains. Un membre du comité d'accueil lui donna un café fumant qu'elle accepta avec gratitude. C'est alors seulement qu'elle réalisa avec étonnement qu'elle tremblait violemment. Tellement, en fait, qu'elle avait peine à tenir son breuvage. Sa tante s'empressa de placer une couverture sur ses épaules.

— Merci, fit-elle en claquant des dents.

— Dans une couple de minutes, ça va aller mieux, l'encouragea son oncle.

— Je me sens déjà mieux. Quelqu'un a-t-il vu Paul?

— Il était là, tout à l'heure.

— Est-ce que ça fait longtemps qu'il a fini? Est-ce que la course s'est bien passée pour lui?

Daniel haussa les épaules.

— Ben... euh... on l'a remorqué. Je suppose que... euh... la mer est mauvaise, aujourd'hui...

— Quoi? Remorqué? Il a abandonné la course? fit

Stéphanie, estomaquée. Elle n'en revenait pas. Paul l'athlète serait sûrement déprimé, bouleversé, humilié. Elle eut de la peine pour lui.

— Euh… il avait l'air quelque peu malade, quand je l'ai vu.

Stéphanie se redressa lentement. Tous ses muscles lui faisaient mal. Elle n'avait pas imaginé en avoir autant.

Elle tendit son café à Daniel, incapable de rassembler ses idées. Que s'était-il donc passé ? Elle leva ses bras au-dessus de sa tête et fit quelques mouvements pour tenter de dénouer ses muscles douloureux.

— Raide ?, fit son oncle en souriant. Hum ! Je suppose que la question ne se pose pas.

— Ce n'est rien à côté des courbatures dont je serai affligée demain, dit Stéphanie qui savait de quoi elle parlait.

— Je vais te frictionner ce soir, lui promit sa tante. J'ai un liniment miraculeux pour les muscles endoloris. Je frottais ton oncle avec cet onguent quand il avait eu de grosses journées chez Bœing.

Par-dessus l'épaule de Daniel, Stéphanie vit Paul qui se dirigeait vers eux. Ses pensées s'éparpillèrent comme une volée de moineaux quand on les approche. Que lui dirait-elle ? Si, par malheur, elle avait dû être remorquée, aucune parole, aucune phrase, aucune personne n'aurait pu la consoler.

Il parla le premier.

— Ainsi, tu as réussi. Bravo, dit-il avec un sourire forcé.

— La mer était vraiment mauvaise, fit Stéphanie en plongeant son regard dans celui du garçon, pour tenter de lire ses pensées.

Il acquiesça d'un signe de tête.

— Je ne m'attendais pas à ce vent. Je veux dire, avec tout ce brouillard... D'habitude, la mer est plus calme quand il y a du brouillard... Euh...

Elle bredouillait, cherchait ses mots.

— Je... euh... j'ai bien failli abandonner... euh... presque... une couple de fois, enchaîna-t-elle pour meubler le silence.

Paul ne desserra pas les dents.

Un haut-parleur grésilla et une voix annonça :

— Attention, attention ! Nous avons maintenant le résultat de l'épreuve des simples féminins.

Le visage de Stéphanie se tendit, Daniel écarquilla les yeux, Paul, la mine basse et le front barré, regardait le quai.

— Oké, reprit la voix. Voici le nom de...

Le son du haut-parleur s'évanouit, crépita, puis la voix retentit de nouveau.

— Oui, voici le nom de notre gagnante. Oké, mesdames et messieurs le meilleur temps, en simple féminin, est de une heure, 26 minutes, 18 secondes.

Stéphanie retint sa respiration. Elle savait qu'elle avait parcouru la distance en moins d'une heure et demie. Mais elle ne le savait pas à la minute près. De toute façon, elle avait la certitude de se classer parmi les douze premières.

— Une heure, 26 minutes, 18 secondes, répéta la voix. Temps record établi par Stéphanie Martin ! Stéphanie Martin ! Stéphanie est-elle ici ?

La jeune fille resta clouée au sol, la bouche béante de surprise. Elle n'en croyait pas ses oreilles.

— Tant mieux pour toi, marmonna Paul.

Tournant les talons, il s'en fut vers la camionnette.

Daniel enlaça Stéphanie et la souleva à demi.

— Hourra! Youppi! Tu es une championne, Steph, dit-il les yeux brillants de joie sincère.

La voix du haut-parleur s'adressa de nouveau à la foule.

— Je vois beaucoup de concurrents qui s'en vont. Je sais qu'il fait froid. Désolé, mesdames et messieurs, nous n'avons pu commander la température. Mais n'oubliez pas de revenir cet après-midi. Nous avons préparé un gros lunch au saumon. Nous voulons aussi vous informer du nom des gagnants dans chaque catégorie, avec leur temps de parcours. N'oubliez pas non plus de prendre votre chandail-souvenir. Il nous en reste encore plusieurs. Oké, d'autres bateaux arrivent. Nous vous annoncerons les résultats dès que nous les aurons compilés.

La voix du haut-parleur s'éteignit dans un crépitement et un sifflement.

— Première!, criait Daniel. Stephie, tu es la première! Je savais que tu gagnerais.

— Tu le savais?, dit-elle, incrédule. Pendant un moment, seule là-bas au milieu du détroit embrumé, j'ai cru que j'abandonnerais. Je me sentais incapable de terminer.

Sans trop savoir pourquoi, elle avait haussé le ton, elle aussi, comme si le ton ordinaire de la conversation ne suffisait pas à exprimer son exaltation.

— Je le savais. Je savais que tu étais capable. Je n'en ai pas douté un seul instant, avoua Daniel. Tu peux réussir tout ce que tu entreprends, Stephie.

— Je crois que je ne le réalise pas encore tout à fait,

dit-elle.

Malgré ses mains rougies qui tremblaient de froid, elle avait une folle envie de rire aux éclats. Elle essaya de tourner ses pensées vers son dinghy, encore à l'eau, ou vers Paul, pour le consoler. Mais en vain. Le bonheur d'avoir réussi semblait l'avoir figée sur place. Elle resta là, immobile comme une statue, souriante, étourdie, sidérée.

Des admirateurs se pressèrent autour d'elle.

On la félicita, on lui tapota les épaules, on lui serra la main. Son oncle et Daniel durent presque lui servir de gardes du corps jusqu'à l'auto où l'attendait sa tante Aline.

Elle échangea de nombreuses poignées de main, distribua maints sourires et finit par s'exclamer :

— Arrêtez ! S'il vous plaît. Arrêtez, ou je crois que je vais pleurer de joie.

CHAPITRE 6

Paul avait chargé son dinghy dans la camionnette. Lorsque Stéphanie, l'oncle Arthur, la tante Aline et Daniel arrivèrent dans le stationnement, il était assis dans le véhicule. Son visage livide disait assez ce qu'il ressentait. La jeune fille s'approcha de la fenêtre ouverte.

— Ça va?, s'enquit-elle avec un peu d'hésitation.

Il détourna la tête pour éviter le regard de Stéphanie.

Elle aurait voulu poser une main affectueuse sur l'épaule du jeune homme et lui dire sa compassion. Mais toute parole semblait inutile ; toute manifestation de commisération ne ferait qu'ajouter à son chagrin.

— Euh... viens-tu au pique-nique, cet après-midi?

— Non, lança-t-il sèchement.

Un silence glacé était tombé entre eux.

— Euh... voyons, Paul. Ne t'en fais pas. Il y a plein de monde qui n'ont pas terminé la course. La mer était vraiment très houleuse et...

— Mais toi, tu as fini, coupa-t-il d'une voix blanche.

— Oui, mais j'ai été chanceuse.

Paul regardait droit devant lui, à travers le pare-brise.

— Ah oui? La chance n'a rien eu à voir là-dedans, répondit-il d'une voix qui dissimulait mal la colère qu'il éprouvait.

— Euh... et puis... tu avais attrapé un coup de

soleil... C'est difficile de ramer avec un coup de soleil...

— Je n'ai pas besoin de toi ni de tes excuses, s'impatienta-t-il.

— Je... euh... c'est juste que... Oh! Paul. Je suis désolée.

— Moi aussi. Je n'aurais jamais dû participer à cette course stupide.

Stéphanie réserva son opinion et garda le silence.

— C'était une idée de fou. Je me demande encore comment ça se fait que je me suis inscrit. Il faut être « capoté » pour vouloir traverser à la rame un misérable petit bout de mer imbécile. Et puis, il n'y a même pas de prix ni d'argent à gagner.

— C'est pour le plaisir, intervint Stéphanie avec un pâle sourire.

À ces mots, Paul bondit presque sur son siège. Brusquement, il redressa la tête et tourna vers elle un regard où se lisaient la rage et le dépit.

— Laisse-moi te dire que tu as des idées plutôt bizarres en ce qui concerne le plaisir. Je me demande de quelle planète tu viens!

— J'ai pensé que ce serait amusant, s'exclama Stéphanie. En fait, j'ai eu du plaisir et de l'agrément à concourir. Mais toi, si cela ne te plaît pas, ce n'est pas grave. Et puis, on n'est pas obligés d'aimer les mêmes choses ou d'avoir toujours les mêmes intérêts.

— Qu'est-ce que tu entends par là, au juste?

— Rien! Je veux dire que tu n'es pas obligé de ramer si ça ne te tente pas. Cela n'a rien à voir avec...

Elle sentit la moutarde lui monter au nez. Prenant une grande respiration, elle continua:

— Cela signifie simplement que, même si nous ne nous intéressons pas aux mêmes choses, toi et moi, nous pouvons quand même être très près l'un de l'autre, non?

Il haussa les épaules, l'air indifférent.

— Ouais, si tu le dis. Bon, ben, euh... ta tante Aline t'attend, je pense. On se reverra tout à l'heure.

La tante Aline lui fit un grand sourire.

— Grimpe vite, petite alouette. Tu as l'air gelée. Je vais te donner de la chaleur. Attends, je vais « partir » la chaufferette. Et puis, tu iras prendre une bonne douche bien chaude, en arrivant à la maison. Après, pendant que tu enfileras ton ensemble de jogging en coton ouaté, je te préparerai un breuvage chaud.

Au cours du trajet qui les ramenait à leur blanche demeure, Stéphanie se contenta de se détendre, de regarder défiler le paysage et de laisser filer ses pensées. Au dehors, la brume s'effilochait et accrochait ses lambeaux vaporeux sur la cime des arbres. Dans le ciel, les nuages translucides ressemblaient au tulle fin dont on fabrique les voiles des mariées.

La surface de la grand-route était déjà sèche bien que, sur les fougères et les fleurs sauvages qui poussaient en bordure, des perles de pluie s'irisaient à mesure que l'air devenait plus clair.

« Je devrais me réjouir, rire ou chanter, pensait Stéphanie. Mon cœur devrait exploser de joie. »

Pourtant, un grand vide lourd, humide et oppressant l'avait envahie, comme si l'insidieux brouillard, qu'elle avait traversé tout à l'heure, s'était infiltré en elle pour envelopper son cœur d'un linceul de tristesse. Cette course avait revêtu une telle importance pour elle qu'elle avait volontiers sacrifié son été pour s'y préparer adéquatement. Elle avait réussi, pourtant, au-délà de toute espérance. Non seulement avait-elle terminé la course, mais encore elle avait remporté la première place. Alors pourquoi ressentait-elle en elle ce gouffre béant, cet abîme insondable, cet anéantissement?

Elle avait rêvé d'être au septième ciel et se retrouvait dans un enfer désert où son cœur souffrait les affres de la solitude.

Elle avait cru boire le nectar des dieux dans la coupe de la victoire, mais n'en goûtait que la lie.

Pauvre Stéphanie. Elle se culpabilisait sans le savoir, de l'échec de Paul, dont l'amour-propre avait été atteint. Il était jaloux du succès de Stéphanie. Or, cette jalousie la blessait à son insu et la rendait malheureuse.

Le lendemain, elle alla s'asseoir au jardin pour en respirer le parfum apaisant et voir les oiseaux se baigner dans la fontaine qui en occupait le centre. Daniel vint l'y rejoindre. Il prit place sur le banc qui lui faisait face, dans la grande balançoire verte où grimpaient des belles-de-jour aux corolles en forme d'étoile. De but en blanc, elle lui posa la question qui lui brûlait les lèvres:

— Daniel, supposons que tu aies été dans la course et que tu n'aies pas terminé, serais-tu fâché contre moi parce que j'ai gagné?

— Tu me demandes de répondre à la place de Paul. Je ne peux pas. Je ne suis pas lui.

— Je le sais bien. Mais je ne te demande pas ça. Je connais déjà ses sentiments. Non. Je te demande quels seraient tes sentiments à toi.

— C'est difficile à expliquer.

— Essaie.

Son visage se tendit, ses yeux se rétrécirent. Il réfléchissait.

— Quand j'ai obtenu un A en algèbre, finit-il par dire, et que toi, tu n'as eu qu'un B, est-ce que ça t'a contrariée?

— Ben non. Tu es meilleur que moi en algèbre. De toute façon, en histoire j'ai eu un A et tu as eu un C.

— Huh-huh.

— Est-ce que ça t'a mis en colère?

— Mets-en, que j'étais en colère. Mais contre moi. Pas contre toi.

— Oui, mais ce n'est pas comparable au fait de participer à une épreuve sportive, n'est-ce pas? Tiens, comment te sens-tu quand tu perds contre moi au Monopoly?

— Tu gagnes parce que tu triches, dit Daniel, pince-sans-rire.

— Turlututu, chapeau pointu. Impossible. Tu dis ça pour me turlupiner.

— Dés truqués?

— Grand fafouin, va.

— Oké, oké. Écoute Stephie. Paul ne t'en veut pas. Il s'en veut à lui-même. Il sait très bien pourquoi il n'a pas pu terminer l'épreuve, tout comme je sais pourquoi je n'ai obtenu qu'un C en histoire. Il ne s'est pas entraîné. Il a préféré dormir pendant que toi tu pratiquais. Il en est très conscient. Alors, pour l'amour du ciel, cesse de t'en faire.

— C'est difficile, admit Stéphanie.

— Il s'en remettra et reviendra à de meilleurs sentiments. Tu verras. Dans une couple de jours, il n'y pensera plus.

Stéphanie acquiesça pendant que l'image d'un lièvre, endormi sous un chêne, et d'une tortue, suant à grosses gouttes sur un chemin poussiéreux, apparut, claire et nette, sur l'écran de son imagination.

Elle songea à aller s'acheter un T-shirt sur lequel les mots d'une chanson à la mode étaient imprimés : « Dont't worry, be happy. »